D1638769

ADIEU MA MÈRE, ADIEU MON CŒUR

Romancier, essayiste, auteur dramatique, Jules Roy, après une carrière dans l'armée de l'Air qui lui inspira la majeure partie de ses livres, est l'auteur d'une œuvre abondante, couronnée par de nombreux prix littéraires : Prix Renaudot pour *La Vallée heureuse*, Grand Prix de littérature de l'Académie française pour l'ensemble de son œuvre, Grand Prix national des lettres, etc. Il est l'auteur des *Chevaux du soleil*, *La Bataille de Dien Bien Phu*, *Guynemer, l'ange de la mort*, *Mémoires barbares*, *Amours barbares*, *Un après-guerre amoureux*, *La Mort de Mao*, *Vézelay ou l'Amour fou*, *Rostropovitch*, *Gainsbourg et Dieu*, et *Les Années déchirement, 1925-1965* (1998).

Paru dans Le Livre de Poche :

GUYNEMER

MÉMOIRES BARBARES

AMOURS BARBARES

JULES ROY

Adieu ma mère, adieu mon cœur

ALBIN MICHEL

A Meftah,
à l'oncle Jules.

« Tu dois songer à la destinée de ce pays d'où nous venons, qui n'est pas une province française, et qui n'a ni bey ni sultan ; tu penses peut-être à l'Algérie toujours envahie, à son inextricable passé, car nous ne sommes pas une nation, pas encore, sache-le : nous ne sommes que des tribus décimées »...

Kateb Yacine, *Nedjma*, p. 128,
Editions du Seuil, 1956.
(Si Moktar à Rachid, sur un navire
dans la mer Rouge, en vue de Port-Soudan.)

« L'Algérie n'est pas la France, elle n'est même pas l'Algérie, elle est cette terre ignorée, perdue au loin, avec ses indigènes incompréhensibles, ses soldats gênants et ses Français exotiques dans un brouillard de sang. Elle est l'absente dont le souvenir et l'abandon serrent le cœur de quelques-uns, et dont les autres veulent bien parler à condition qu'elle se taise. »

Albert Camus, le 25 septembre 1955,
réponse probable à Edgar Faure citée par
Olivier Todd, *Camus*, p. 616.

Un coup de colère probablement, voilà ce qui m'a pris. Ça m'est venu un 2 novembre de ces années passées. Peut-être pas le tout dernier. Un de ces 2 novembre où les gens se souviennent de leurs morts, achètent des chrysanthèmes en pots qu'ils vont déposer sur les tombes fraîches. Les vieilles tombes, on les oublie plus facilement. Il y a alors dans nos cimetières un va-et-vient de vie qui les fleurit. Depuis que je ne vais plus en Algérie, comme ma mère et tous les miens sont là-bas, je coupe les dernières roses du jardin, s'il n'y a pas encore eu de gelées, je les mets dans un vase devant la photo de ma mère, de mon vrai père, d'Amrouche et de Doyon, mes autres pères, sous une aquarelle de l'Alger des corsaires, où la mer bat le pied des maisons.

J'en ai eu assez de cette façon de célébrer les morts seulement ici. Et ma mère alors ? Et les autres ? Et ma grand-mère bien-aimée, qui s'appelait Marie Bouychou de son nom, et son mari mort des fièvres, que je n'ai pas connu, et mon oncle Jules qui s'est crevé au travail ? Et, j'ose le dire, bien que sa place ne soit pas là, Meftah qui nous aimait. Un Arabe. Un serviteur. Je pense à lui qui ne pense plus à rien, existe moins encore que quand il existait. Je me suis dit : « Alors, il n'y aurait plus que les Français de France à honorer leurs morts, le 2 novembre ? Les miens vont rester à Sidi-Moussa sans que jamais personne vienne les voir ? Nom de Dieu ! Je vais traverser la mer. Je vais leur porter des roses. » Après quoi, ma pensée a pesé davantage sur ma mère, plus proche de moi. De ma famille, peut-être celle qui a le plus souffert, celle qui s'est révoltée contre la société. Celle qui a refusé d'aller à l'enterrement de son mari, celle qui a péché. Celle qui pensait qu'un malheur s'abattrait sur l'Algérie parce qu'il y avait trop d'Arabes. Celle sans qui je ne serais rien. Ma mère chérie. Ma mère à qui j'ai préféré la justice. Ma mère plus que mes pères et plus que ma patrie. Qui m'a donné la vie dans le thème de la rébellion. Qui m'a appris à dire non.

Dès que, dans les hublots, ont glissé les hauteurs bleues, encore indistinctes, de l'Atlas, une sorte de recueillement fébrile a gagné tout l'avion. Le ton des voix d'abord a faibli, puis cessé. Nous approchions. La terre sacrée était en vue. Je retrouvais le même frémissement d'autrefois, il n'y avait pas si longtemps, alourdi du sentiment d'un bonheur perdu, d'une richesse gaspillée, d'un legs compromis par des héritiers déchirés. La raison revenant, revenait l'autre sentiment de la fatalité et de la fragilité des empires, du passage si bref de l'homme ici-bas, et surtout de cette évidence que la patrie n'est pas forcément la terre où l'on croit être né, mais celle qu'on a choisie pour vivre ou pour mourir. Dans le cas présent, sur le plan humain, il s'agissait d'une réparation. La terre revenait à qui elle appartenait. Mais tout n'est pas si simple. La possession, comme le bonheur ou la justice, peut dépendre d'un partage.

Ma voisine de cabine éprouvait une émotion proche. Elle était d'une région de hautes plaines entourées de montagnes ou de déserts, où souffle presque toujours le vent, où passent de grands oiseaux de proie, et pauvre au point qu'on se demande comment des moutons parviennent à y vivre, a fortiori des hommes farouches, immobiles devant leurs maisons de pierre sèche, des femmes au visage lissé par le vent et toujours découvert. « Je me demandais, me dis-je à moi-même, comme si je parlais à ma voisine, si, à l'origine de tout cela, il n'y a pas la distance et l'hostilité qu'une parole de mépris engendre. Je rêve que si la France était venue ici autrement, le sort de cette terre eût été autre. Peut-être pas française, mais peut-être à moitié, comme à moitié, sinon arabe, du moins berbère. Vous vous voyez, vous peut-être pas, mais vos cousins, habitant des HLM de couleur ocre et de faible hauteur sur les rives de l'oued Saada, à El-Kantara par exemple ? Avant Biskra ?

— L'Aurès, voulez-vous dire ?

— L'Aurès, c'est cela.

— Vous oubliez qu'il s'agit là d'une région jamais soumise, attachée à sa misère, vivant de quelques grains et du lait de ses chèvres, et où les Bédouins vont et viennent selon les pâturages, couchant sous des tentes en poil de chameau, libres de tout, sauf du ciel.

— Libres ?

— Ne subissant jamais l'hostilité.

— Ou le mépris ?

— Le mépris ? »

Cette femme, née là-bas et devenue ministre à l'indépendance, revenait d'une conférence sur la solidarité. Elle me regarda et sourit : « Le mépris, ça ne se pardonne jamais. »

Nous arrivions. L'avion sortait ses volets avec un sifflement. Nous glissions au-dessus des Eucalyptus, là où j'ai vécu enfant.

I

J'ai regardé par le hublot. Je n'ai rien vu. Nous déchirions le paquet de brume sèche qui recouvre la Mitidja en cette saison d'avant l'été, comme une sorte d'édredon de couleur ocre. Nous étions en avance. Le vent du nord nous avait poussés.

L'avion s'arrêta, la porte fut ouverte, je ne respirai pas l'odeur de vignes et d'asphodèles qui, d'habitude, à peine ici, m'annonce que je suis chez moi. De la plaine toute proche, on ne voyait rien qu'un bouillonnement d'argile rouge qui se dissipait, comme aspiré par le ciel, les crêtes de la montagne au-dessus et, à l'ouest, la colline derrière laquelle on devinait Alger, la grande pute adorée.

Il faisait bon. D'une douceur pareille à une caresse. Grâce aux services culturels algériens de Paris, j'ai débarqué mieux qu'autrefois. Salon d'honneur, alors qu'auparavant c'était, comme tout le monde, police et douaniers. Cependant, personne ne nous attendait. L'Algérie était toujours ma terre natale, mais depuis quand n'avais-je plus de famille à Alger ? Le cœur serré, je me demandai soudain pourquoi j'étais là. Aussitôt m'est venu à l'esprit le mot d'un ami de Paris : « Sans protection, vous n'arriverez même pas à votre hôtel... »

Mon compagnon est allé parlementer. De Paris, il avait téléphoné au Saint-George pour qu'une voiture nous attende. La direction de l'aéroport nous en a donné une. J'ai soupiré. Notre chauffeur a démarré. J'ai regardé les palmiers, les hangars, le ciel. Nous avons emprunté la route moutonnière, qu'on appelle plus souvent l'autoroute. Il y avait beaucoup de bagnoles, ça roulait vite. Nous fûmes devant le Jardin d'Essai, là où, un jour, Camus avait donné rendez-vous à Max-Pol Fouchet à propos d'une fille qu'ils convoitaient tous deux et que Camus lui avait piquée. Ils étaient si jeunes à l'époque : dix-huit ans peut-être. Et là, sur une plage de graviers que la mer des égouts proches bat dans le vent qui souffle, Camus avait dit à Max-Pol : « Je te savais grand, mais pas à ce point... » Naturellement, Max-Pol avait dit : « Je te la laisse. » Ce mot « Je te savais grand » avait été longtemps à la fois l'orgueil de Max-Pol, mais aussi sa blessure. Il ne lui avait jamais pardonné, je crois.

Je revois tout. Notre chauffeur file dans le flot des voitures. Alger, encore brouillée, apparaît imposante, presque menaçante à cause des hauteurs de la Casbah, l'ancienne citadelle du Dey. Nous avons dépassé les agglomérats monstrueux d'après Maison-Carrée, construits avant l'indépendance au bord de la fameuse route moutonnière, là où, depuis longtemps, les moutons sont des êtres humains qu'on mène à l'abattoir et qu'on égorge maintenant face à La Mecque. Avec ou sans paroles rituelles, le résultat est le même : on tue ou on se tue. Si ce n'est pas sous le couteau du sacrificateur, c'est par accident. Et voilà que les voitures ralentissent.

Un barrage. De qui ? De l'armée pour filtrer le FIS, ou du FIS pour exécuter quelques militaires ? On freine, on se serre, *bessif*. J'ai pensé : « Ça y est. » J'ai regretté que ce soit si tôt, à peine débarqués. Eh bien, non. Notre chauffeur a observé, puis, en vieil habitué, a zigzagué, et devant ce qui lui parut une ouverture, un trou, un vide qui se creusait, a filé comme un zèbre.

Motus et froid dans le dos. A toute vitesse, à travers des espaces gris et nus, nous avons débouché sur ce qui est toujours le faubourg populaire de Belcourt, là où Camus a vécu enfant, où l'on retrouve ce qu'il a écrit dans *L'Envers et l'endroit*, où son instituteur de l'école communale, Louis Germain, lui a obtenu une bourse pour le lycée Bugeaud. Et nous voilà rue de Lyon, où passaient jadis les tramways rouges, où sa mère avait si peur quand éclatait une rixe au café entre Arabes et Européens. En un éclair, je m'aperçois qu'une grande partie de la rue a été rasée, qu'on y a construit des HLM, je cherche en vain le 93 où il habitait, que je voudrais voir protégé par un décret de classement historique. Ce n'est pas tous les jours qu'on relève des traces de pauvreté chez un prix Nobel, c'est là où se décide pour lui le choix entre la mère et la justice. Je me souviens subitement qu'il a raconté aussi que les dockers avaient failli se mettre en grève pour leurs salaires, et je respire soudain l'odeur de vinasse dans la futaille qui attendait ici d'être chargée sur les cargos de l'arrière-port. Qui songerait à s'arrêter ? Je me remémore une phrase de lui dans ce livre : « Les soirs d'été, les ouvriers se mettaient au balcon. »

Mon compagnon et moi restons muets. Je pense à ma mère. Nous habitions ailleurs, à l'Esplanade, dans un quartier nouveau et large, petit-bourgeois, avec des jardins qui descendaient jusqu'aux bains Matarès et Padovani, où Camus jeune homme aura sa troupe de théâtre. Déjà.

II

Au Saint-George, devenu El-Djezaïr et que tout le monde continue d'appeler le Saint-George, sans *s*, parce que ce sont de snobs Anglais qui l'ont construit, je me suis laissé tomber dans un des fauteuils de cuir du hall. Des fauteuils fatigués, éreintés, presque crevés. Et dans les fauteuils, pas une femme. Uniquement des hommes. Ainsi remarque-t-on d'emblée qu'on est en Algérie. Question : sont-ce des inactifs, des individus avec profession ou emploi qui les rend immobiles, vacants, désœuvrés en apparence, ici, dans le hall du Saint-George ? Habillés comme en France, mais avec une certaine négligence. Des policiers peut-être ? Des gens de la sécurité civile ou militaire ? Pas de vrais désœuvrés à leur tâche de désœuvrés, avec un cerveau vide et attendant Godot. Pas des touristes non plus. Peut-être des commerçants ou des journalistes étrangers.

Par mon âge, ma taille et mes cheveux blancs,

j'attire l'attention. On lorgne de mon côté. « Ce vieux-là, qu'est-ce qu'il fout ? » Les journaux d'Alger sont pleins de l'assassinat par le FIS d'une journaliste. Comme chaque semaine. On n'y prête pas grande attention. Photo : la fille est assez jolie et très jeune. Vingt-deux ans. Son nom : Malika Sabour. Je lis qu'elle travaillait dans un hebdo plutôt favorable au FIS, un hebdo sans idées politiques, genre *Votre Beauté*, et gagnait trois mille dinars par mois (mille francs) pour raconter les stars, qui ont tout, à des gens qui n'ont rien mais rêvent de ce qu'ils pourraient avoir. Une fille qui n'a jamais fait parler d'elle, pauvre, habitant après l'aéroport de Maison-Blanche où nous étions il y a peu, sur la route de Kabylie, La Reghaïa, banlieue d'Alger, un patelin à présent surpeuplé, débordant de jeunes gens et d'enfants dans des maisons misérables. Là où la vie est à la limite du dénuement, et à quelques kilomètres d'une banlieue bourgeoise : Aïn Taya, Fort-de-l'Eau, Surcouf, Cap-Matifou, où beaucoup d'Européens passaient l'été, jadis. La mer y est toujours agitée, le vent aide à supporter la chaleur. La Reghaïa avec une famille à charge, c'est la misère ou presque.

Peu de détails. C'est cette nuit que l'assassinat a eu lieu. Il faut attendre. Depuis qu'on tue des journalistes, des directeurs de journaux et des directeurs de rédaction, ça impressionne moins. C'est le combien ? On se dit que si les journalistes sont tués, on ne saura plus rien, et les journalistes héroïques se disent qu'ils vont finir par tous y passer. Au moment où j'écris, plus de cinquante. N'importe. Et bientôt, à la Maison de la Presse, vingt morts de plus. Des journalistes plus intelligents ou moins courageux que les autres ont réussi à filer de l'autre côté, en France, chez nous, où ils sont plus chez eux que moi ici. Ils parlent du problème avec une certaine autorité. Une certaine vibration. L'édito d'un journaliste algérien n'a pas la même portée en France qu'un édito d'un journaliste ou d'un correspondant de là-bas, qui écrit son papier au pied de la Casbah ou dans le hall de l'Auressi, cet hôtel gigantesque construit en plein cœur d'Alger, plus haut que l'ancien gouvernement général où de Gaulle s'est écrié : « Je vous ai compris »... Un immense caravansérail où l'on entre comme dans un moulin. On m'a déconseillé d'y aller. Naturellement, il n'avait pas compris, de Gaulle. Il jetait de la poudre aux yeux.

Aucun message pour moi malgré toutes les démarches à Paris de mon compagnon. Aucun rendez-vous. Je me sens démuni, un peu perdu comme à mon arrivée en Indochine en 1952, à Saigon, où je ne connaissais personne. Où il me semblait que la France se fourvoyait. Où ça sentait le pourri. Mon compagnon visite les chambres où la direction de l'hôtel nous a placés, dans les étages. Il n'y a qu'un ascenseur qui marche. Je m'enfonce dans mon fauteuil crevé, et prends moi aussi l'air de qui est là par hasard et n'attend personne. Des gens vont et viennent. On entre à l'hôtel par un sas, comme les passagers à l'embarquement dans un aéroport. On se croirait à Chicago.

III

Cette nouvelle de la toute jeune et belle journaliste assassinée, la nuit même, chez elle, me hante. Les hommes de sang ont cogné à la porte après le couvre-feu. On ne sait pas encore s'ils étaient trois ou cinq. Trois pour l'exécution peut-être, deux en surveillance. Ils se déguisent tous de la même façon : une combinaison de nageur sous-marin et une cagoule. Les armes sont les mêmes : un fusil à pompe, des poignards. Un coup de pied dans la porte qui s'ouvre en battant. Ils exigent le livret de famille, demandent Malika défaite par la peur, écartent le père, la mère, les frères et tuent la fille d'une balle dans la nuque. D'autres journaux prétendent qu'ils l'ont égorgée. La mère hurle, on tire une rafale de kalachnikov pour intimider le voisinage. Est-ce le FIS ? Le GIA ? Les Algériens qui veulent un Etat islamique, les barbus ? Les *ninjas* de l'armée opèrent de la même façon, en représailles. Personne ne bouge. Qui peut résister aux uns ou aux autres ? La mort est dans leurs mains, la lueur qui brille dans leurs yeux masqués est une lueur d'enfer. Les tueurs du FIS ont été formés en Iran ou en Afghanistan. Ils sortent du peuple, de la misère. On les recrute, dit-on, par l'assurance qu'ils vont venger leur peuple. Les responsables, ce sont les pontes du FLN qui ont détourné l'argent public pour s'enrichir, les prévaricateurs, les bafoueurs de la morale et de la religion. On convainc les jeunes gens qu'il faut écraser tout ce qui pense, tout ce qui écrit, les chanteurs qui chantent l'amour ou la lune. Rien n'est plus permis que la gloire de Dieu, et la patrie algérienne resplendira. Tout ce qui vient de l'Occident est pourriture, tout ce que protège l'Occident est à détruire. Ils le font. Si vite que la réaction vient trop tard. Et si l'un d'eux tombe, il est reçu au paradis par les martyrs, il règne au milieu des houris et il a des filles à gogo. Le bonheur.

A La Reghaïa personne ne les attendait. Ils surgissent au nom de Dieu, tuent et disparaissent, interdiction de signaler l'attentat avant la levée du couvre-feu, sinon ils reviendront. Dans la nuit à peine passée, ils ont tué Malika Sabour. On suppose que c'est parce qu'elle parlait des stars occidentales, qu'elle racontait leur vie aux lecteurs de son hebdo, *Echourouk el-Arabi*, friands de détails que le FIS juge scabreux. C'est le plus fort tirage local : près de quatre cent mille exemplaires. Malika participe à la corruption, elle conduit les femmes à la honte. Elle sera punie, Dieu le veut. Le bruit court que les Frères enlèvent des filles dans leur maquis, puis qu'ils les renvoient, et alors, même les mères de ces filles ne veulent plus d'elles. On dit qu'on a conduit à l'hôpital le frère de Malika à demi fou. Ils auraient pu l'abattre aussi. Ma mère me disait toujours : « Ce sont des sauvages. Ils jouissent de voir le sang couler, ils ne pensent qu'à ça. Les as-tu vus avoir de bons sentiments les uns pour les autres ? Ils se haïssent. C'est une sale race. Si c'est Dieu qui les a fabriqués, Il doit s'en repentir. D'ailleurs, ils ont honte d'eux-mêmes. Ils n'osent pas se regarder dans une glace. »

Ma mère, quand elle parle ainsi, oublie la façon dont elle coupe la langue aux poules qu'elle sacrifie. Avec des ciseaux. Cric, crac. Je vois le sang emplir un bol.

IV

Pourquoi les maîtres de la ville respecteraient-ils le quartier historique où l'auteur du *Premier Homme* a célébré de pauvres gens venus de toute la Méditerranée, misérables comme les Arabes, mais pleins d'orgueil et de mépris pour eux ? C'est ce qu'un peu inquiet, je me demande dans mon fauteuil. Pour gagner son travail ou rentrer chez elle, Malika, la journaliste qu'ils ont tuée, passait dans cette longue rue triste où vivait Camus enfant. Autrefois, les collines proches étaient giboyeuses, il y a un hameau qui s'appelait Retour-de-la-Chasse. A présent il n'y a plus que des maisons, où croyants et incroyants font des enfants comme le demandent les imams. Pas de pilule pour les femmes. Encore moins d'interruption de grossesse. Dieu l'interdit. Ce qu'Il n'interdit pas, c'est la misère. Le pape prêche de même à travers les bidonvilles du Brésil : « Faites des enfants. » Pour les imams du FIS, les femmes existent pour fabriquer de futurs chômeurs que Dieu emploiera à tuer ceux qui ne se conforment pas aux préceptes de la religion. Rien n'effraierait davantage ma mère si elle l'apprenait. Ces millions et ces millions d'Arabes qui vont envahir la Terre parce que l'islam interdit de faire l'amour sans vouloir des enfants. Chez les chrétiens aussi. Les riches chrétiens écoutent peu le pape. Ils croient que la religion n'est pas là pour fricoter le malheur du monde, mais les pauvres croient tout ce qu'on leur promet.

Mon compagnon me tire de mon fauteuil. « Il faut vous reposer, dit-il, demain vous allez souffrir. » L'ascenseur nous hisse, puis nous marchons, nous marchons. Mon compagnon m'apprend à me servir d'une clé électronique. La nuit tombe déjà. De la terrasse, je vois la ville se cribler de feux et un fleuve d'or se mettre à couler là où nous avons fui le barrage, là où peut-être les barbus attendaient. Quoi ? Ce qui pouvait se présenter. Au-delà d'une brume plus dense, pareille aux écailles d'une marée, les brillances de Fort-de-l'Eau près de La Reghaïa où, hier, les frères en cagoule se distribuaient les tâches. Il y a combien d'années que, dans le port d'Alger, nous attendions qu'appareille le convoi qui allait conduire à Liverpool les rescapés de l'armée d'armistice ? N'y avait-il pas des Arabes parmi nous ? Le bon Ferhat Abbas, avec qui les plus irréductibles colons auraient bien partagé leurs vignobles parce qu'il leur ressemblait, pensait venu le moment de lancer le *Manifeste du peuple algérien* pour le répandre à travers les forces alliées, qui affluaient pour abattre Hitler. Pour les Arabes, une quête de dignité et un espoir se levaient.

Les derniers rayons d'un soleil roux ressemblent à de longues épées, des épées d'or tranchantes. Jaillies de la dernière bosse de l'ouest, la Bouzaréa où, jadis, avant leur brouille, Camus et Max-Pol Fouchet allaient rêver devant la mer, elles fouettent violemment les flancs lisses des façades, flamboient, enflamment les terrasses et, d'un coup, glissent dans l'oubli. La mer devient phosphorescente, les martinets tournoient au-dessus des jardins du Saint-George comme s'ils cherchaient un refuge pour la nuit. Encore quelques instants et tout va basculer. Mon compagnon se tourne vers moi et désigne en face le monument aux martyrs, en forme de faisceau ou de torche. On voit parfois, en plus petit, quelque chose de semblable dans les villages d'Afrique noire, en l'honneur du dieu ou des esprits. Celui-là, tel un immense cénotaphe, apparaît de loin en mer et célèbre le sacrifice des millions d'hommes humbles morts pour avoir une patrie. Les dignitaires, les nouveaux martyrs d'à présent, on les enterre à côté, à El-Alia, là où va être Malika Sabour, dit-on. « Qu'est-ce que vous en pensez ? » me demande mon compagnon. Je lui dis que c'est une des premières choses que les Algériens devaient élever à l'indépendance, un signe sacré, puisque c'est nous, au nom du même amour, qui avons fabriqué leurs martyrs.

Les bruits de la ville semblent se fondre dans une rumeur tranquille à peine grondante, et le flot de la route moutonnière ressemble à une coulée de lave lorsque, soudain, comme un bang d'avion ou un coup de tonnerre, éclate une voix terrible, un cri sauvage, brutal, impétueux et impérieux, qui d'abord me choque puis m'emporte dans une sorte de fatalité triste. Quelque chose de contre nature et de tonitruant étouffe la sourde rumeur, puis la laisse bruire pour l'étouffer de nouveau. « La prière », dit mon compagnon.

J'avais oublié. En islam, c'est le moment que l'étranger attend pour entrer dans une ville inconnue. Si le muezzin invite les croyants à la prière, l'étranger sait qu'il est en pays musulman. Il va en confiance ou pas, selon son Dieu. Ces messieurs ne prennent plus la peine d'escalader les marches qui mènent au sommet du minaret, ils déclenchent une cassette, comme dans les tours de nos églises, une cassette où on a enregistré, chez nous, le son des cloches, chez eux la voix de Dieu. Ainsi Dieu utilise le progrès pour ménager l'effort de ses serviteurs. Ainsi le timbre de tous les muezzins des dix mille mosquées d'Alger et d'Algérie diffuse la prière du crépuscule dans le silence des premières étoiles, et assaille la nuit, les consciences pures et les impures, les forts et les faibles, les fidèles et les infidèles. Allah est Dieu et Mohamed est Son prophète. « Alla-a-a-a-ah... » La phrase sacrée semble jaillir du plus profond, du dessous et du dessus des premières collines, embrasse le ciel et la terre comme la mer, plus loin, écrase à présent les chuchotements, les mots, les cris, tous les bruits du crépuscule d'une énorme cité, tous les appels, tous les souffles, tous les râles, tous les grondements de moteurs ou de centrales, jusqu'au mugissement des navires, s'il y en a qui demandent à entrer dans le port.

Où étais-je ? Là où Dieu régnait. Allah en majesté comblait l'infini des espaces célestes et glorifiait l'islam à travers le désordre du monde. Et sa miséricorde, Frères du GIA, sa miséricorde ? Ainsi dès ma naissance, dès mon enfance à la ferme, dès que, déjà à demi endormi, vers la fin du repas du soir, ma mère m'emportait entre ses bras vers mon lit dans le réduit qui ouvrait sur les chevaux et les bœufs. Les feuilles de maïs du matelas craquaient en même temps que criaillaient les chacals au loin, dans une sorte d'ondulation d'abord timide, puis ample, et peu à peu assurée. Un immense glapissement plus que l'aboiement nerveux de jeunes chiens qu'on aurait pu confondre avec des hululements d'oiseaux apeurés, une lamentation incertaine et haletante d'une innombrable faune de petite taille, née chaque soir de la ténèbre si rapide ou de la montagne, des buissons, des vignes que la nuit rendait aux renards voleurs de raisins. Quelque chose de vaguement menaçant, comme la protestation d'ennemis vaincus, tentés de regimber mais n'osant pas. Dans toutes les plaines d'Algérie, les chacals réveillés s'attroupaient, osaient descendre vers les champs cultivés par des étrangers, vers ce qu'on nomme la civilisation. Et à ce moment-là, toujours inattendue, bouleversante, fulminante, telle la voix d'un spectre, *salate el-îchâ*, disait ma mère comme en secret. La cinquième prière, la plus longue, telle la voix d'un prophète.

A l'hôtel, la voix formidable et monocorde était la même, si faible alors, qui me plongeait dans mon sommeil d'enfant, au point qu'elle m'aurait manqué, comme m'aurait manqué le criaillement des chacals pour m'endormir. Pas à ma mère. Ma mère, si elle avait pu, aurait étouffé la voix de nuit qui rappelait aux chrétiens qu'il y avait un Dieu arabe et souverain, ma mère se penchait vers moi, m'embrassait : « Dis ta prière, mon chéri... » Je dormais déjà. « Notre Père... »

J'avais donc un père et j'étais sur une terre étrangère où le cœur bat plus fort, où les conquérants ne savent plus ce qu'ils ont conquis, à qui reviennent la femme la plus belle et le sol le plus riche, où toutes les mosquées sont transformées en églises en attendant le siècle où elles redeviendront mosquées.

« Au fond », me dis-je, en examinant ma chambre et la petite terrasse qui se prolongeait sur une ouverture par quoi on pouvait passer ou braquer une arme, « à la volonté de Qui décide... »

V

Des bachagas en burnous rouge brodé d'or, turban, bottes rouges, autrefois il y en avait partout au Saint-George. Du temps de la guerre d'Algérie. Les fauteuils datent de plus loin, les fesses des nobles bachagas n'ont pas été les seules à les défoncer. Les bachagas avaient rendez-vous et fumaient des cigarettes en silence. Soudain surgissait l'un d'eux à la barbe plus fine, le cou dans une cravate encore rouge, et tous se précipitaient vers lui, superbachaga ou commandeur des croyants, lui baisaient les mains, les épaules et le front à plusieurs reprises, et s'en allaient dans un salon où des caïds les recevaient en se courbant. Des salons, des fumoirs, des boudoirs, des salles de conférence, il y en a partout avec des portes dissimulées dans les lambris précieux, des fenêtres étroites et ouvragées, des vitraux, des gravures anciennes de Barbaresques. Faute d'avoir raté la conquête d'Alger, les Anglais avaient cédé à la tentation d'acheter des terrains près du palais d'Eté, et y avaient construit un quartier aristocratique avec une église de rite anglican, et le Saint-George, établissement digne des lords du Royaume-Uni. Les Algériens d'aujourd'hui ont-ils eu recours à de nouveaux architectes britanniques, ou ont-ils voulu, par les leurs propres, reproduire les splendeurs d'un palais turc ou d'Arabie où l'on se perd, où les serviteurs et les policiers sont invisibles, où l'on croise parfois un dignitaire de la République ou une beauté occidentale, à moins que ce soit la nouvelle reine de Saba ou une princesse de Mongolie ?

Ce n'est que le lendemain que je pense à ces détails futiles, presque frivoles : comme à la mosquée de Samarcande, la plus riche du monde qui s'effondre sur les Croyants parce que l'architecte était amoureux fou d'une femme du roi. Après tout, qu'un ministre de la Culture ait voulu que la nouvelle République s'enorgueillisse d'une merveille, pourquoi pas ? Quand on croit que les eaux d'or du Pactole ont remplacé les boues de l'Harrach, on peut oublier de penser à la misère du peuple. A la place des Algériens et avec leur jalousie des Français, j'en aurais fait autant. Ce n'est pas la misère qui passe à la postérité, mais le chef-d'œuvre.

Redescendu dans mon fauteuil avachi, j'attends après une nuit cruelle que quelqu'un vienne. Qui ? Je ne sais pas encore. J'ai appris que, la veille, on avait aperçu Théodore Monod venant du Sud, protégé par une dizaine de Sahraouis, son escorte habituelle. Moi, j'ai mon compagnon ancien activiste, qui vaut bien un escadron à lui seul. Monod n'aime pas Alger, il a regagné la France aussitôt, son goum l'a accompagné jusqu'à l'avion. Nous avons le même âge lui et moi, à moins qu'il soit mon aîné d'un an ou deux. Il doit encore parcourir le désert à la recherche de son astéroïde. Lui il trotte, alors que je tiens à peine sur mes pattes. Je me souviens qu'au moment de l'indépendance, j'avais songé à demander la nationalité algérienne tout en gardant la mienne. J'avais même écrit à l'ambassadeur d'Algérie à Paris pour savoir s'il ne serait pas possible, à ma mort, d'être enterré à Rovigo-Bougara. Figurez-vous, je voulais reposer à côté du premier mari de ma mère, le gendarme tellement oublié qu'on ne sait plus où est sa tombe. Je lui devais bien ça. Rien ne s'est fait, tant mieux. Je n'ai pas choisi, pas plus que ma mère, de naître où le sort m'a fait naître et où je peux mourir aussi. Dans ce cas, qu'on laisse ma dépouille ici, ai-je déjà dit à mon compagnon. Qu'on me loge à Rovigo-Bougara, à côté de l'homme infortuné de qui je porte le nom, si on retrouve sa tombe, car Bougara est devenu, avec L'Arba et Sidi-Moussa, le fief du FIS, et, faut-il le répéter ? on appelle ce joli coin « le triangle de la mort ». J'espère que ces voyous ne me traiteront pas comme ils l'ont fait du corps de Rachid Mimouni. Le lendemain de son inhumation, m'a dit Rachid Boudjedra, ils l'ont déterré dans la nuit et découpé en morceaux, scié, oui, scié, tels des charcutiers d'enfer.

VI

Une des dernières fois que je suis venu à Sidi-Moussa, le maire avait feint d'essayer une clé dans le cadenas, puis une autre et une autre avec quoi ils avaient tous fourragé en marmonnant, sans doute que c'était la faute du dieu des chrétiens, ces infidèles, ces incroyants, ces chiens. Puis le maire s'était tourné vers moi, et : « Tu vois... » Oui, je voyais que Dieu, comme il disait, m'empêchait d'entrer ; et comme je ne pouvais pas escalader le mur ni la grille, je baissai les yeux, mis un genou à terre, et moi qui déteste tellement ces démonstrations, je me recueillis en silence, et peut-être priai-je. Car je n'avais pas oublié l'abomination devant laquelle, combien d'années plus tôt ? j'étais resté, un long moment, figé d'horreur. Cette fois-ci, je me relevai, me posai la main sur le cœur, tournai le dos au cimetière et, après un signe d'adieu à tous, m'en allai seul rejoindre le taxi. Le chauffeur m'attendait. Un coup d'œil sur la longue maison basse, jadis l'école, où l'inscription « Liberté, Egalité, Fraternité » n'était pas tout à fait effacée. On n'entendait plus le marteau du forgeron Sauteron sonner contre l'enclume, plus personne au café de l'Espérance et même plus de café du tout, plus de joueurs de boules sur la place, et il y avait longtemps que le charpentier Berthaut était mort et sa femme aussi, qui n'avait mis au monde que des filles, dont l'une d'elles s'était mariée avec mon frère René. Après quoi, demi-tour et direction Alger.

« Allez, plus vite que ça, chauffeur, monsieur le chauffeur !

— *Ya sidi.* »

D'abord, c'était la petite place de la poste, puis l'église Saint-Charles transformée en mosquée avec un semblant de minaret peint en jaune. Puis la route d'Alger où autrefois on passait sous une immense allée d'eucalyptus que les colons avaient plantés parce que le vent qui souffle dans les feuilles chasse les moustiques. Aux « événements », on avait coupé ces arbres colossaux, odorants, facilement cassants, le bois rouge de l'eucalyptus n'est pas dur. Sans eux, la route d'Alger semblait vide. C'est un peu pour cela d'ailleurs qu'on les avait coupés. Pour mieux voir qui vient. Maintenant, ça faisait tellement triste.

A droite comme à gauche, les fermes dont je me disais les noms : Ronda, Pélégri, Manent, Bénéjean. Plus loin, j'aurais dû dire au chauffeur : « Vous allez trouver un chemin de terre à votre droite. Prenez-le. » Pour moi, il n'y a plus de ferme Paris. L'oncle Jules était mort d'une crise cardiaque, ses fils n'avaient pas continué. Dans un moment de folie, j'avais même songé à la racheter, la ferme. J'avais envoyé de l'argent et un pouvoir à un cousin. Ça n'avait pas marché, la ferme avait été vendue à un Arabe, oui. Ça fait des siècles.

A cette époque, j'étais là pour une enquête. Comme c'était la guerre, j'avais pris la précaution de me munir d'un ordre de mission de l'Elysée. Je pouvais aller partout. Avec le maire, le vrai, le nôtre, un gros colon d'ici, et le curé qui se baladait en Volkswagen avec une mitraillette à côté de lui, j'avais discuté de l'avenir de l'Algérie. Ils n'étaient pas contre certains assouplissements dans les rapports avec les Arabes comme pour les salaires des ouvriers agricoles, mais l'islam et la multitude les effrayaient, alors que moi... Le maire m'avait dit : « On voit bien que vous n'habitez pas ici. » Et le curé : « Mes paroissiens sont presque tous partis. Je n'ai plus que des Arabes. »

C'est ce que ma mère m'a toujours dit : « Attention aux Arabes, mon fils. Il y en a trop. » Camus avait reçu son prix Nobel, il avait déclaré qu'il préférait sa mère à la justice, ce qui révélait qu'il était moins philosophe dans l'absolu qu'on ne croyait, et là-dessus ou presque il était mort, ce qui expliquait alors ma présence en

Algérie. Lui vivant, je n'aurais jamais osé prendre la parole sur ce problème, il était le maître, lui seul pouvait. Et justement, un éditeur sans scrupule avait, comme un vautour, plongé sur sa disparition pour me convaincre que je pouvais, qu'il me fallait intervenir. J'avais bien une mère, moi aussi, née là-bas, mais elle nous avait quittés trois ans avant les événements. Clostermann, l'as de l'aviation de chasse qui revenait d'Algérie, m'avait affirmé qu'il y avait certaines choses qu'il ne pouvait pas dire, mais que moi, je devais révéler.

Et voilà, j'y étais, attiré par l'indignité à dénoncer, j'étais à Sidi-Moussa. Presque tous les pieds-noirs avaient décampé. Le maire n'allait pas tarder à les imiter et le curé ne se séparait plus de sa mitraillette.

Sidi-Moussa, c'était ma mère.

VII

Debout dans la voiture à ciel ouvert qui précède la nôtre, un policier en cagoule. A grands gestes brusques, il rabat les voitures qui roulent dans notre sens et, à coups de sifflet impérieux, stoppe celles qui circulent en sens contraire. Une kalachnikov lui barre le torse. Derrière lui, nous fonçons. Aux carrefours où les voitures s'entremêlent, il avance, menace, contourne le caillot, repart, des deux mains repousse les récalcitrants vers le fossé. Derrière lui nous nous engouffrons. Derrière nous une troisième voiture se colle. Les gens ont l'habitude, ils se soumettent à tout et s'arrêtent. Dès que s'ouvre un espace, nous filons. Cent dix, cent trente, plus par moments peut-être.

Mon compagnon filme tout. Moi, sur la banquette arrière, où je suis assis à gauche parce que je n'entends que de l'oreille droite, et encore. Notre cortège rugit sur les hauts d'Alger où nous sommes déjà. Nous plongeons sur Birmandréis (le puits du mûrier) où l'on a tué encore deux journalistes. Le FIS tue pour un rien. On égorge, on ne retrouve jamais les agresseurs. De même, les *ninjas* de l'armée ou de la police. Ils envahissent un immeuble, on ne sait pourquoi, forcent une porte, liquident et disparaissent. Personne ne dit mot. « Si quelqu'un parle... » dit le chef à la famille en partant. Un geste sur le cou. Nous sommes des obus, nous roulons à tombeau ouvert. C'est à travers une forêt noire et brûlée que nous nous précipitons derrière notre *ninja*, vers toi, mère chérie, dans la tombe depuis plus de quarante ans.

Où jadis commençait la riche plaine de la Mitidja, tout est désolation. Plus de verdure : des maisons, des bicoques finies ou non, jusqu'à l'horizon semble-t-il, là où, à l'indépendance, les Arabes de la montagne qui n'avaient pas trouvé de place dans la ville ont essayé de s'incruster en masse. Débordant des routes et des anciens domaines, des chantiers, les murs inachevés du rêve des travailleurs immigrés en France devenus chômeurs ou retraités, des élévations de parpaings soudainement interrompues, des esquisses de balcons, des cadres de fenêtres. Des deux côtés de la chaussée bourrée de hauts pieux fichés dans le sol, et qui ressemblent à des fondations, des étages béants. Là, jadis, s'ouvrait la grande plaine féconde, riche l'hiver, sensuelle l'été, la Mitidja avec le vert-bleu de la mer et le vert fauve des montagnes, l'or des moissons, l'odeur des vignes coupées et des rangs de cyprès, les fermes où l'eau coulait à flots des norias et des éoliennes, les tracteurs dans les champs, les meules de paille, l'air chaud qui brouillait le ciel blanc, et, sur la route, des chars à bancs et des automobiles où chacun saluait. Il s'agit bien de salut. Le *ninja* de notre première voiture gesticule. A droite, à gauche, les sifflets à roulette ou la sirène. On nous cède le passage, je ferme les yeux, nous ne tournerons pas à gauche dans le chemin de terre que je reconnais, après Baraki, nous filerons tout droit après les grands toits que je n'aperçois même pas, où les cigognes venaient occuper leurs nids d'hiver tout en haut des cheminées. Il n'y a plus d'eucalyptus. Que de sombres maisons à moitié debout que nous cachent les vignes, les orangeraies, les moissons déjà faites, et nous sommes à Sidi-Moussa sans que je m'en sois aperçu, sans que j'aie vu l'église, la poste, les premières maisons à tuiles romaines où la famille de ma belle-sœur Louise habitait. Mon compagnon : « Vous y êtes... »

Je serre mes deux bouquets de roses sur mes genoux. Nous suivons une vieille automitrailleuse, des half-tracks nous encadrent un moment sur la place. Nous sommes, sans même que je m'en sois rendu compte, dans la désespérance. Là où autrefois les vignobles bleuissaient, où les orangers répandaient au printemps leur parfum, nous avons cavalé comme des fous, voltigé, dévoré l'ancienne route encombrée d'ahuris, et nous stoppons. Le chef de la gendarmerie est déguisé en parachutiste, ses hommes aussi. Mon compagnon me dit : « C'est bon. OK. » Le chef de la gendarmerie a la moustache de l'oncle Jules. Voilà Sidi-Moussa. Voilà l'Algérie des Arabes. Je descends, le dos rompu. Pas seulement le dos. L'âme aussi.

Mère chérie, c'est ce que tu as annoncé. « Ils nous empêcheront de descendre dans la rue. Tout leur appartiendra. Ils se tueront les uns les autres. Ils ont fait ça toute leur histoire. Après, ils nous forceront à embarquer et ils occuperont nos appartements, ils mettront des poules sur le balcon. Et nous, qu'est-ce que nous deviendrons ? Ils nous tueront aussi... » Je la calme, je la rassure. « Tu es là, répond-elle, je ne verrai peut-être pas ça... » Maintenant, j'arrive avec une brigade de gendarmerie, deux half-tracks et une automitrailleuse. Sans compter ma protection personnelle. « Si tu me voyais... Que dirais-tu si tu me voyais, mère chérie, entouré d'Arabes, emmené ici par des Arabes, protégé des Arabes par des Arabes ? » J'entends ce qu'elle me dirait : « Ils détruiront tout. Ce qu'ils ne connaissent pas, ils le briseront. Ce qu'ils connaissent, ils le saliront. De votre temple, il ne restera que des ruines. » Ce n'est pas elle qui parle, c'est le prophète Isaïe. C'est Jérémie aussi.

Des Arabes partout. Peut-être moins dans le village, qui paraît dépeuplé. J'ai beau chercher, à part les gendarmes et les policiers je n'ai vu personne. Mes bouquets de roses à la main, j'attends qu'on me fasse signe pour traverser la route. A l'ombre de la végétation, là où jadis était la grille, mon compagnon photographie. Quoi ? quand une femme passe avec son couffin, sans même un regard sur nous, venant de ce qui doit être une épicerie socialiste, nous n'existons plus.

C'est l'antichambre de la demeure de ma mère. C'est l'antichambre du néant.

VIII

J'ai eu la naïveté de dire, hier, au policier chargé de ma personne, qu'il fallait avertir le maire et lui demander de me trouver la bonne clé, comme s'il y avait encore des mairies dans ce pays ! Autrefois, il y avait une grille, maintenant plus rien. Un amas de barrières métalliques, de palissades, de clôtures emmêlées les unes dans les autres comme sur une décharge publique. Qui sait ? Si bien entouré qu'il soit, le cimetière des anciens colonisateurs deviendra peut-être un dépotoir. On n'entre plus ici comme autrefois, on n'entre plus par rien, on n'entre plus, sinon, comme nous, on longe les soubassements du stade en face, on traverse le stade en sa largeur, on bute contre une sorte de retranchement défendu par une haie vive de ronces, d'orties, de racines, on trébuche sur des dalles recouvertes d'humus, de branchages pourris, peut-être d'ossements jaillis de là avec les années d'abandon et la complicité des écumeurs de funèbre. Les flics avancent en silence, avec une certaine commisération polie pour moi qui me demande si, à demi crevé comme je suis, j'arriverai jamais avec mes roses. Eux, au moins, respectent les vieux, alors que, chez nous, les vieux n'ont qu'à débarrasser le plancher. C'est pour ça qu'avec mes flics dans toute la force de l'âge, je me sens bien. On va finir par s'aimer.

Ils se foutent bien de mes roses. Chez eux, les cimetières ne sont pas clos comme chez nous pour les protéger des chiens errants et des bestiaux ou les soustraire aux vues des vivants. Mon cœur, mon souvenir, des roses d'Alger, des roses des jardins du Saint-George, si précieuses, si vivantes, si vite flétries. Eux portent les morts presque en courant, en récitant et en reprenant sans cesse une *fatiha* saccadée :

Au nom de Dieu,
celui qui fait miséricorde,
le Miséricordieux...

Ils ne pleurent pas. La plupart du temps, les femmes se déchirent le visage avec leurs ongles. Nous, des roses et de la douleur nous suffisent. Voilà, ma mère, pour toi. Et pour toi aussi, grand-mère, lourde femme enduite d'huile d'olive et de benjoin, visage de femme romaine à vague respiration d'ail de Montségur dans l'Ariège, des roses aussi. Pieusement. Si seulement je pouvais verser une larme. Une seule.

Rien. Pourquoi aurais-je pleuré ? Pour montrer qu'un ancien colonisateur ne pouvait retenir son émotion devant la tombe de sa mère, symbole de ce que nous, Français, avons perdu ? Surtout pas devant les gens de la sécurité et devant mon compagnon qui n'arrête pas de filmer avec sa caméra japonaise. Ni pleur ni rien. Rien d'autre que ce qu'on peut prendre comme signe de trouble : mon essoufflement à marcher, encore plus forcené quand le parcours est difficile, que le pied doit échapper aux lanières des ronciers et le corps à leur embrassade.

Pleurer là, devant le monument des miens, toujours solide, en granit gris, et devant celui des autres un peu ébranlé, en marbre blanc un peu jauni ? Me montrer en douleur devant les représentants des profanateurs, ah ! non alors ! avec là-dessous ma mère de qui le cercueil, à l'indépendance, a été exhumé et défoncé par une racaille jamais identifiée ? Dans la pénombre végétale où nous sommes, un fouillis d'arbres et de rameaux qui ont poussé comme ils ont pu, bousculant les bordures, recouvrant les apparences de catafalques, emmêlant tout, effaçant les différences, mettant dans ce désordre un peu d'ordre, me semble-t-il. Et moi, vieillard décati encore debout, et ici au nom de qui ? au nom de quoi ? venant semer la zizanie dans un pays en douleur. Les hautes herbes poussent entre les tombes et partout s'installent, devant, derrière, entre les morts qu'elles étouffent.

Mes deux bouquets en main, je dépose le premier sur les miens. « Famille Paris » dont je suis fier. Je pense à mon ami Pélégri. Les siens sont là aussi, tout de suite après la grille que les Arabes avaient d'abord bouclée avec ce cadenas dont, à la mairie, on ne trouvait jamais la clé.

Tourné vers une clôture basse de fer forgé, pareille à celles des églises d'autrefois, et devant quoi les fidèles s'agenouillaient, là, comme sur la table sainte, j'ai presque jeté l'autre bouquet et son timide parfum brouillé. La mémoire, ce n'est pas seulement des pierres, des stèles et un arbre bleu que je ne connaissais pas, et qui a poussé là on ne sait comment, d'une graine apportée par quel vent de quels océans ? Moins haut que les autres — ses rameaux ne dépassent pas encore les autres —, il forme sur ma mère une voûte frêle et puissante, un dais, un baldaquin de velours bleu-violet. D'une poignée rapide et avide, j'en cueille une grappe que je tends à je ne sais qui, à tous les morts d'ici dont je me souviens, comme à tous ceux dont je ne me souviens pas, à d'autres à jamais disparus, sachant ou ignorant pourquoi, à tort ou à raison, ils sont morts pour cette plaine, la rendant aux Arabes, brûlée ou dans sa beauté d'alors. Je ne sais. Et soudain je pense encore à Camus, philosophe qui savait peser le pour et le contre pour bien distinguer l'envers de l'endroit, et qui a préféré sa mère à la justice. C'est grâce à lui, ou à cause de lui, que je suis là. Je le comprends, mais il faut me comprendre aussi.

Je cache la grappe dans mon blouson, je l'enfouis sur mon cœur, je la serre. Je me retourne et, à ma mère, en moi-même je crie, comme à Lazare : « Lève-toi et marche. »

IX

Ma mère répandue là, ma mère cendre et poussière ne s'est jamais fait d'illusions. Moins que sa mère à elle, assise presque toute la journée au bout de la table de la salle à manger, les mains à plat devant elle, le regard sévère, sauf pour moi son chouchou. Elle régnait. Son mari, mort des fièvres, lui avait laissé la ferme, toute petite comparée aux autres, mais grande par rapport à celle de l'Ariège ou de la Franche-Comté : dix hectares de jeune vigne, dix hectares de céréales et d'orangers, une machine à vapeur qui montait l'eau du puits pour arroser, de l'outillage, huit bœufs, trois chevaux, des voitures. Jules, le fils cadet, célibataire, avait remplacé le père ; Désiré, marié à Rovigo, s'occupait des machines à battre et à défoncer ; Hippolyte, l'aîné, marié aussi, boucher à L'Arba. Sidi-Moussa, L'Arba, Rovigo, triangle du bonheur jadis, triangle de la mort aujourd'hui où l'armée ne pénètre plus qu'en force. Si ma mère vivait encore, et qu'elle me voie lui porter des fleurs, à elle, à sa propre mère et à l'oncle Jules, moi escorté par des policiers, encore cela ne serait rien. Mais des policiers arabes pour me protéger d'autres Arabes, elle l'avait bien dit. Et pourquoi des Arabes ? Serait-ce parce que nous sommes partis et que la France n'est plus là ?

Ma mère, née Mathilde Paris, en 1871, l'année de la révolte du bachaga Mokrani, se marie en 1891 au gendarme Roy, Louis, Alfred, venu de Franche-Comté, homme solide qui a servi dans un régiment de cuirassiers. En tournée à la ferme, il exhibe une photo qu'il a toujours dans son portefeuille : regard honnête et franc, il tient contre sa poitrine où brille la cuirasse son casque à queue de cheval. L'Algérie l'a tenté. Une solde supérieure, l'occasion d'exercer l'autorité, les visites aux douars et dans les fermes. Ma mère lui a tapé dans l'œil. Belle fille, nez droit, bouche large et rieuse. Il la demande en mariage, on ne la lui refuse pas, que peut-elle espérer d'autre ? La queue de cheval de la photo l'a séduite. La cuirasse aussi. Ne porte pas cuirasse qui veut.

Ceux qu'on appelle les Arabes, on les craint. Peu d'entre eux sont de purs descendants des conquérants. La semence d'origine s'est mêlée aux Berbères et aux Bédouins, mais il en reste quelque chose. Où l'Arabe passe, les signes demeurent de génération en génération, les noms se sont altérés, les traces sont moins visibles, le sang arabe se révèle à un front, une couleur de peau, à la fierté agressive et à la noblesse, perdues par la plupart des héritiers. Après des siècles de servitude, ceux des environs de la ferme, ceux du douar des Zouaoui ne méritent plus que le nom infamant qu'emploie ma mère pour les désigner. L'oncle Jules, pire encore, ne les nomme plus. C'est *ils*, c'est *eux*. Pour ma mère et l'oncle Jules, ils ne savent rien faire et, si on ne les surveille pas, ils ne font rien, aucun effort, aucun travail, tout va de travers. Ce n'est pas pour eux.

A la ferme, il y en a un, pourtant, souvent dans la maison. Meftah est son nom. Une ombre plutôt qu'un homme. Silencieux, effacé, coiffé d'une sorte de turban, vêtu de loques, toujours nu-pieds, on ne l'entend jamais marcher. C'est vers lui, tout à coup, que je vois ma mère se précipiter. « Zizi !... » crie-t-elle. Zizi, c'est moi, perché sur les épaules de Meftah. J'ai quatre ans peut-être. De longs cheveux tombent sur mes épaules. Ma mère m'arrache à Meftah, m'assoit sur un banc de la salle à manger, saisit un peigne, le passe avec force sur ma tête.

Meftah fait tout ce qu'on lui demande cher-cher de l'eau, balayer la cour, laver le deux-roues, atteler le cheval, porter la soupe au chien, m'empêcher de m'éloigner, défendre aux autres de m'approcher, chercher des pommes de terre, nettoyer l'écurie, faire la litière des bœufs, arroser les orangers. Tellement habitué à nous qu'il agit sans qu'on le lui dise : il va à la pompe du puits avec un gros arrosoir qu'il pose ensuite dans la cuisine près de l'évier. On penche l'arrosoir, l'eau coule du bec. Meftah entasse le fumier des bœufs et panse les chevaux : un alezan, un bai et un gris pommelé, le plus beau, qu'on appelle L'Arbi, L'Arabe. Quand l'oncle Jules va dans les vignes, marcher dans les terres brutes m'est difficile, Meftah me hisse sur ses épaules. Je ne me souviens plus de ce que ma mère m'a dit. Meftah appartient pour moi à la vie, à ma parentèle, c'est un vieil oncle qui a eu des malheurs. Il n'est pas grand, apparaît même assez chétif, plutôt malingre. « Il est costaud, dit l'oncle Jules. Il a du nerf. »

Quel âge a-t-il, Meftah ? Trente-cinq ? Quarante ? Son visage de serviteur ne bouge pas. Il sourit toujours, me prend par la main, me protège. Il m'aime plus que ses enfants qui habitent le gourbi qu'il a construit au bout du jardin potager, derrière la machine de la noria, contre une haie de figuiers de Barbarie touffue, impénétrable. De là s'élève souvent une criaillerie, une chamaillerie, deux garçons, qui n'ont pas le droit d'approcher de la maison des maîtres. « De sales gosses », dit ma mère. S'il les aperçoit, Meftah les chasse en tapant dans les mains. Sa femme Zohra (qui signifie la rose) a plus de chance. Elle vient préparer le couscous quand on reçoit des visites, lave le linge ou repasse, je ne sais plus. Comme il n'y a pas d'électricité, qu'on ne sait même pas ce que c'est, on chauffe les fers sur la cuisinière.

X

A Sidi-Moussa, l'université où l'on pouvait entendre la parole de Dieu, ce n'était pas l'école ni l'église. Du temps de la force et de l'ordre, c'était le café l'Espérance, là, juste avant la place, sur la route qui vient d'Alger et croise celle de L'Arba. On avait les nouvelles mieux qu'à la ferme, on confrontait celles d'Alger à celles des voyageurs. Café de l'Espérance, en lettres capitales au-dessus de la terrasse éclairée, dès la tombée de la nuit, par une lanterne à pétrole et, plus tard, le fin du fin, à l'électricité, oui.

J'ai une photo du caboulot : ils sont une douzaine devant la porte, dont un zigoto à casquette qui pourrait être le facteur ou le tambour de la mairie, un autre avec un képi blanc et un ceinturon militaire, un légionnaire de passage par hasard. Ils entourent la patronne, Mme Lopez, belle femme à forte poitrine, un peu comme la sœur cadette de ma mère, Marie Carnetto, qui tenait l'épicerie fine, 95, rue Michelet, à Alger où je lirai *Les Pieds-Nickelés*, trésor de ma bibliothèque vers dix ou onze ans. M. Lopez, derrière sa femme, à qui il bécote le cou. Trois Arabes seulement, des serviteurs et, assis à une table, quelqu'un qui ressemble à l'oncle Jules par sa moustache et ce qui pourrait être son canotier. Quant au jeune garçon aux bras ronds, au long tablier d'écolier et chapeau d'étoffe, ne serait-ce pas moi, plus tard, par hasard encore ?

Quand on habite une ferme et qu'on est un homme, on ne va pas au village sans s'arrêter à l'Espérance. Avec l'oncle j'y suis allé tout petit. J'étais un enfant de Rovigo que son père avait chassé parce que sa femme le trompait. Je respirais les odeurs d'anis et de sirop d'orgeat devant un verre de grenadine. Quelquefois, le soir, je m'endormais, la tête sur les genoux de mon oncle. On rentrait en pleine nuit avec le deux-roues et L'Arbi dans les brancards, on traversait d'abord les deux kilomètres de l'allée des Eucalyptus dont le feuillage bruissait et dont les troncs étaient à peine éclairés par la lanterne du deux-roues. Parfois, s'il avait fait un orage ou un coup de vent, des branches étaient tombées sur la chaussée ; l'eucalyptus est un bois fragile, le cheval bronchait, nous étions secoués. « Tu n'as pas peur ? » demandait l'oncle. Pourquoi aurais-je eu peur ? Il était là, L'Arbi trottait d'une allure qui sentait l'écurie, et il y avait, entre l'oncle et moi, un fusil de chasse à deux coups. On ne sortait jamais sans fusil ; un lièvre, un canard doré, un malandrin. Je ne trouvais rien d'extraordinaire à ça. Des fusils, il y en avait partout. L'oncle Jules sifflotait. Je me serrais contre lui. Ma mère allait le gronder. « Ce n'est pas une heure, Jules, pour ramener cet enfant... »

Il dételait L'Arbi, sauf si Meftah était là, empoignait son fusil, ma mère nous donnait quelque chose à manger, me couchait, puis il rentrait chez lui. Les étoiles brillaient. Là où était l'oncle Jules, j'étais, jusqu'à ce que la mort nous sépare. Là où il est maintenant, j'offre mon premier bouquet de roses dans le même geste qu'à ma mère.

Pour la suite, Dieu décidera.

XI

De l'Espérance, un pas suffit pour gagner la poste et l'église où, le dimanche, il y avait petite foule. On n'est tout de même pas des chiens, il faut montrer aux Arabes qu'on a une religion, qu'on croit en Dieu, que notre Dieu est plus puissant que le leur, que c'est lui qui nous a placés où nous sommes. Même si parfois, à la ferme, l'oncle Jules jouait à l'esprit fort. Ne disait-on pas qu'il était tenté par la franc-maçonnerie ? Aux grandes fêtes, Meftah attelait deux chevaux au break, et la grand-mère Bouychou, veuve Paris, assistait à la messe avec toi, ma mère, mais l'oncle s'attablait ostensiblement à l'Espérance.

Pour les enterrements, il était forcé, il nous accompagnait. On va de l'église au cimetière par une rue étroite, un raccourci, il y a un soleil brumeux comme aujourd'hui, des martinets plongent et s'élèvent avec un cri pointu. Sur la place aux ficus, les hommes s'arrêtent de jouer aux boules et se découvrent en cherchant l'ombre ronde des arbres. Comme c'était doux, même quand quelqu'un de cher avait glissé dans le corbillard ! On n'imaginait pas un autre ailleurs. C'était déjà la vie éternelle dont parlait M. Jousserand, le vieux curé à la barbe et à la chape d'un noir brillant. Toi, petite mère chérie, j'ai raconté dans *Mémoires barbares* comment mon frère René et moi t'avons conduite ici, où t'attendaient ta mère, veuve Paris, et l'oncle Jules. Combien fut déchirant de pousser dans les ténèbres la femme à qui on doit la vie. C'était le printemps, le vent du sud soufflait. Depuis la mer, des petits Arabes vendaient des asperges et des poireaux sauvages le long des routes au bord des vignes. Le drapeau français flottait sur la mairie, Louise t'avait retiré ton alliance et me l'avait donnée. Maintenant, plus d'enfants de chœur, des policiers et des gendarmes pour moi qui suis ton péché, vieux à mon tour, plus vieux que toi-même, et protégé par les Arabes avec mon compagnon le photographe. Une longue file de bagnoles arrêtées, des half-tracks, une automitrailleuse devant la route des Eucalyptus, déserte, et toi sous un dais d'Amérique. Le ciel s'est voilé par la brume sèche de cette saison, et moi, debout, godiche avec les deux bouquets que je tiens renversés, je ne sais plus où j'en suis. Ce village que je connaissais encore à l'époque où j'écrivais *Les Chevaux du soleil*, lorsque chaque artisan, chaque famille avait son nom et jouait son rôle, où le café de l'Espérance tenait lieu de siège d'état-major et d'hôtel, tout s'enfonçait dans du brouillard. Et j'étais à présent devant les tombes, me disant que, peut-être, j'aurais dû offrir mon deuxième bouquet à la nostalgie qui me brisait. Certainement pas à ce que personne d'entre nous n'aurait imaginé, à ce qui aurait pu être, juste après l'indépendance, un immense atelier de chaudronnerie et de pièces détachées pour construction mécanique. Ce n'est pas à toi, mère chérie, que j'aurais appris que, par haine et détestation des colons et d'eux-mêmes colonisés, les Arabes pouvaient être de conscients ou d'inconscients complices de barbarie, lorsqu'ils avaient failli transformer notre riche, notre incomparable plaine de vignes, d'orangers et de haies de cyprès en une zone industrielle. Jusqu'à Blida peut-être, vers le sud. Jusqu'à Tipasa vers l'ouest, s'ils avaient pu. Le miracle, c'est que les pièces détachées avaient manqué, que personne ne savait les fabriquer, mais qu'on s'est arrêté de transformer la plaine en forêt brûlée juste après l'autre village que, de mon temps et du tien, on appelait Rovigo, et maintenant Bougara. Là où je suis né, là où jadis s'étendaient des centaines d'hectares de géranium rosat dont la floraison allait aux usines de parfum de Nice et de Grasse. Sept kilomètres au sud de Sidi-Moussa, franchi l'oued Djemaa par un pont de fer construit par les Français et détruit depuis par la guerre.

Nous étions bien dans l'abomination de la désolation, à présent.

XII

Parfois, venant des environs du douar voisin, apparaissaient quelques loqueteux avec femme et enfants, gémissant et tendant la main. Le chien César aboyait furieusement et tirait avec force sur sa chaîne, Meftah accourait. Ma grand-mère se levait, jetait un coup d'œil et allait un instant dans sa chambre, revenait, glissait une pièce à ma mère qui descendait du perron. « Donne-leur ça, Mathilde... »

A côté de ces misérables, les *meskines*, Meftah était un seigneur. Il les tenait à distance, couvrait leurs glapissements d'une voix autoritaire et entraînait le groupe hors des bâtiments, jusqu'au chemin qui menait à la route d'Alger. Avec des gestes comminatoires, il indiquait la direction du village, de Dieu, de la montagne, de l'infini, et revenait en s'arrêtant parfois, le visage courroucé. Ma mère était remontée s'enfermer dans la maison avec sa mère et moi.

« Qu'est-ce qu'ils viennent traîner ici ? demandait en arabe, comme dans les grandes occasions, l'oncle Jules soudain apparu.

— Hé, répondait Meftah, c'est la famine chez eux. Ta mère a donné.

— Et au douar, reprenait l'oncle, qu'est-ce qu'ils attendent ?

— Avec quoi ? répliquait Meftah. Eux non plus ils n'ont rien, *oualou*.

— Ce qu'ils ont, ils le cachent, concluait l'oncle. Vous êtes malins, vous autres. »

Meftah ouvrait les bras, remontait les épaules avec un dernier geste qui signifiait : ils sont partis, bon débarras ! César hoquetait de rage encore un temps.

Aux *meskines*, l'oncle Jules, conseiller municipal de Sidi-Moussa, savait qu'en cas de famine la mairie distribuait de l'orge, du blé dur et de la farine quand les instructions venaient de L'Arba, chef-lieu du canton. Il s'indignait pourtant que la maréchaussée puisse tolérer que de pareils miséreux errent dans la plaine en semant peut-être des maladies. Il allait protester le jour même, au village et à l'Espérance... Le téléphone était à peine inventé, mais on ne l'avait pas à la ferme et on n'aurait pas dépensé de l'argent pour ça. Je me disais que l'oncle m'emmènerait, que je retrouverais peut-être des *meskines* sur la route, ceux-là ou d'autres, poussés par les gendarmes vers la prison de Maison-Carrée, les hommes enchaînés entre les gendarmes à cheval. Ces images-là datent de presque un siècle. Qui les a vues ne les oublie pas.

Au cimetière de Sidi-Moussa, au milieu de mes protecteurs, tous habillés comme nous, ou, mieux encore, dans la tenue léopard des militaires, je revoyais la scène.

Je me retournai. J'avais encore envie de demander à ma mère pourquoi elle avait eu si peu de compassion pour ces traîne-misère, ces va-nu-pieds. « Parce qu'ils n'ont que ce qu'ils méritent, répondait-elle. Pourquoi ne seraient-ils pas dans la misère ? Ils ne font rien. Les Arabes sont une race de mendiants, de paresseux et d'ignorants. Regarde leurs champs et regarde les nôtres à côté. Et ils s'étonnent que ça ne pousse pas, ils invoquent Dieu, ils n'ont que Dieu à la bouche. Ils ne sont que vice et méchanceté. La pitié chez eux n'existe pas. Le vice oui, l'envie, le vol. C'est comme ça que nous les avons trouvés, c'est comme ça qu'ils sont restés. Nous avons eu tort de leur ouvrir nos écoles dans l'espoir de leur enseigner la civilisation. Ils nous haïssent et nous couperont le cou dès qu'ils pourront. Il n'y a qu'une chose qu'ils respectent, la force... »

Je l'écoutais. Ancienne femme de gendarme, elle répétait ce qu'elle avait entendu dire autour d'elle. En 1939, un journaliste de vingt-quatre ans, un enfant de Belcourt, écrivait dans *Alger républicain* une série d'articles : « Misère en Kabylie ». Mais qui lisait alors *Alger républicain* ? Le journal comptait une centaine d'abonnés dans le département d'Alger, des opposants au régime colonial, d'anciens déportés peut-être, des communistes ou jugés tels. Pas un lecteur dans les beaux quartiers, pas un à Sidi-Moussa, deux ou trois à Boufarik sans doute, chef-lieu de l'arrondissement. Il fallait que des gens de cœur fassent l'aumône avec la France et avec les colons, et il en était ainsi de toute l'Algérie. L'aumône n'était pratiquée que par les Mauresques en pèlerinage sur la tombe des marabouts : quelques centimes. Puis les instructions arrivaient et le blé dur et la farine étaient distribués en abondance. « La France est généreuse », disait ma mère avant de Gaulle : « C'est grand, c'est généreux, la France... »

Elle avait tort, ma mère, d'accabler les Arabes avec les mots qu'on employait dans toute ma famille et chez presque tous les colons d'alors. Ça a changé. Il a suffi d'une révolte. Je le lui disais en moi-même sous les branches aux grappes de fleurs bleu-violet qui recouvrent sa tombe jadis profanée. Mon compagnon photographiait, mais la lumière était mauvaise. Autour de nous c'était le monument aux colons morts, la tribune du stade plus loin, et, gardée par les gendarmes, la route des Eucalyptus.

XIII

Si, de la tombe des Paris, je me tourne vers la suite des monuments de marbre, puis vers la masse de croix ensevelies sous des lianes, des herbes folles et des rameaux entremêlés, je ne saurais qualifier personne du grand mot de juste, même si l'existence de ces morts-là a été courte. On n'est pas forcément juste quand on profite des avantages de la colonie, comme les miens et comme moi en avons profité un bout de temps. Ma mère n'était pas seule à ne pas aimer les Arabes. « Ce sont des serviteurs, je n'entre pas chez eux, je ne les connais pas, ils n'ont pas l'air malheureux », c'est ce que j'ai entendu autour de moi. Savaient-ils vivre avec des armoires et des lits ? Ils dormaient sur des nattes, sous des couvertures, dans un réduit enfumé, sous un toit de roseaux. Au douar d'à côté, chez les Zouaoui, sans cesse, on enviait notre propre serviteur, Meftah. On disait qu'il gagnait de l'argent, et, si peu que ce fût, c'était un salaire, tandis que les hommes du douar vivaient de rien, et j'apprendrai que le peu qu'on leur donnait était encore de trop. Naturellement ils voulaient davantage. Naturellement ils chapardaient. Autrefois, que gagnaient-ils ? Près du rivage, ils auraient vendu leurs poissons. En plaine, leurs légumes et leurs moutons. A qui ? Aux Turcs ? Aux autres Arabes ? Meftah bénissait Dieu d'avoir poussé les Français à s'emparer d'Alger. « Les Français ont de l'argent, pensait-il. Si on sait les flatter, on réussit parfois à tirer de leur poche des pièces de monnaie, frappées à l'image d'une femme, leur République. Rarement une pièce d'or. L'or c'est pour les grosses affaires, les magasins, les récoltes. » Meftah n'avait jamais vu l'or que de loin, furtivement. Voilà ce qu'il pensait.

Si chétif qu'il parût, on le jalousait. Aux Arabes du douar il parlait avec calme et une certaine autorité. Il nous respectait. Il défendait les petits colons comme l'oncle Jules et sa mère. Et ma mère aussi, là depuis peu, venue de Rovigo à la suite de circonstances que les gens de Zouaoui qui l'interrogeaient n'avaient pas à connaître. Ils le soupçonnaient d'être pourri par l'argent. Il grimaçait, ricanait, s'éloignait avec les salutations d'usage. « Allez dans le bien. » Et en lui-même concluait : « Qu'ils me laissent dans la paix. Dieu est grand. »

A cette pensée, je ressens comme de la fatigue. Pas du voyage de Paris à Alger. Là, au contraire, nous avons été surclassés en première où il y avait encore deux places. Avec douceur, je me suis découvert à gauche d'une femme ancien ministre, Mme Benhabylès, qui revenait d'une conférence où elle représentait l'Algérie. Elle retournait dans le Sud où elle était député, d'Ouargla me semble-t-il. Elle enseignait aussi. Elle aimait ses foules d'élèves, qui n'avaient pas obéi aux ordres du FIS de ne pas se présenter aux examens. Elle y voyait une grande raison d'espérance. C'est elle qui interviendra pour qu'on nous donne une voiture pour le Saint-George.

XIV

C'est vrai, mère chérie, on m'a changé. Des années ont passé. Il y a eu la Deuxième Guerre, Amrouche, un poète kabyle qui m'a appris comment on écrit, et puis Camus. Or, quand je commence à vivre dans la ferme de ma grand-mère, j'ai deux ou trois ans. Je cours déjà partout. La maison d'habitation est un peu surélevée à cause des risques d'inondation. L'oued Djemaa qui passe non loin à l'ouest n'est d'ordinaire qu'un filet d'eau, mais il suffit d'un gros orage dans la montagne, et des trombes de boue liquide se ruent dans les vignes. Désolation pour l'oncle Jules et tous les colons. La couche de vase séchait comme une vieille peau fripée, craquelée, à la longue s'effritant sous les hersages, les labours et sous le soleil, le vent, le pas des gens.

Comme toute la famille, comme tous les colons, je souffrais du paludisme. A chaque repas nous prenions notre cachet de quinine.

Ou à midi seulement. N'empêche. A intervalles réguliers, la fièvre s'emparait de nous ; un malaise d'abord, puis un refroidissement jusque dans la moelle des os, et des tremblements qui duraient, duraient. Je grelottais, je claquais des dents, ma mère me mettait au lit avec une bouillotte, mais rien ne me réchauffait qu'elle, quand elle me tenait contre ses seins. Je me demande si ce n'est pas au paludisme que j'ai dû ce besoin fou de gémir dans les bras d'une femme.

Du paludisme, les Arabes ne souffraient pas, du moins on le disait. On disait qu'avec le temps, les siècles, ils étaient immunisés. Est-ce que les bœufs souffraient du paludisme ? Et les chacals ? Cependant, quelquefois Meftah n'était pas là un matin. On l'attendait un moment, puis ma mère allait aux nouvelles du côté du gourbi et appelait l'oncle au passage. « Jules, viens, Meftah n'est pas là... » J'entends de loin ma mère crier : « Ya Meftah ô ô ô. » Puis c'est la voix plus forte de l'oncle Jules. Et Zohra répond quelque chose. Au retour de ma mère, on apprend que Meftah est malade, qu'il tremble, qu'il a froid, qu'il est comme nous. Ce n'est pas possible. Ma mère donne à Zohra deux comprimés de quinine. Avec ça il va guérir. Meftah malade, Meftah malade du paludisme, peut-on l'imaginer ? Les cris m'ont réveillé tôt, le soleil inonde tout. J'entends ma mère dire que sa mère à elle, ma grand-mère, ne croit pas que les Arabes puissent souffrir du paludisme, que c'est prétexte pour quémander un peu d'argent. Mais ma mère, qui a déjà glissé de la quinine à Zohra, a cette pensée effroyable : « Seraient-ils comme nous ? » L'oncle Jules surgit avec son fusil, avale un bol de café, ne dit rien. Il réfléchit. Il se demande qui a raison, Meftah doit être un peu rusé, il l'est bien lui-même, Jules, rusé, quand il s'ingénie à acheter des terres à nos voisins les Zouaoui. Ruse contre ruse, est-ce qu'il ne serait pas en train de couver quelque chose lui-même ? Il ne se sent pas bien. « Mathilde, dit-il à ma mère, un cachet, s'il te plaît... »

En général, l'accès durait deux jours. Parfois trois. L'oncle Jules une nuit seulement. La banquise d'abord. « Je crois que ça y est, Mathilde », disait-il à ma mère. Aussitôt ma mère lui faisait une bouillotte — une bouteille en grès — et il partait chez lui se coucher. D'habitude il revenait le matin et racontait sa nuit. Après les tremblements, grelottements et la suite, la fièvre montait, trente-neuf, quarante, avec des sueurs qui transperçaient les draps jusqu'au matelas que ma mère exposait au soleil. Il n'y avait qu'elle, ma mère, pour ne pas souffrir des fièvres, car elle n'avait personne pour la cajoler, lui nicher une bouteille sur la poitrine, même pas sa mère à elle, trop vieille, avec son diabète, pour soigner les autres. Je ne l'ai jamais vue malade. Il y avait toujours plus malade qu'elle. Et Meftah s'y mettait à présent ? Les chevaux, le chien César avaient-ils du paludisme ?

Du paludisme, bien qu'il soit vaincu, j'ai souffert longtemps. Le mal réapparaît à toute occasion, subrepticement, même à mon âge. Les Arabes en ont, je le sais à présent. Je me penche un peu sur la tombe, je murmure ce que Camus m'a appris : « Ils sont comme nous, maman... »

La crise passée, une rage de courir et de me dépenser s'emparait de moi. Le matin, après la tasse de cacao et les tartines, je dégringolais les marches du perron et filais tout droit par le chemin de graviers bordé d'orangers et de grenadiers jusqu'aux cyprès qui marquaient, avec une haie de roseaux, le début de la ferme, et je revenais à toute allure sur mes petites pattes. Je souffrais aussi de furoncles, j'en avais sur les chevilles, sur les jambes, d'énormes, dont je porte encore les cicatrices. Quand le médecin passait, l'oncle Jules et Meftah m'immobilisaient comme un poulain qu'on va marquer au fer rouge. Le médecin versait un flacon de teinture d'iode sur les plaies. Du feu. Après quoi, fou de douleur, dès qu'on m'avait lâché, je galopais à perdre haleine, puis une fois calmé et le médecin parti, je me jetais dans les bras de ma grand-mère. Toi, ma mère, je t'évitais, car je pensais que tu approuvais ce traitement barbare.

Cette maladie dura, puis je guéris.

XV

D'un père, l'idée ne m'était jamais venue, enfant. L'oncle Jules suffisait. La façon dont on naissait ne me tourmentait pas, ni cette drôle de chose que j'avais entre les cuisses. Sans doute étais-je trop petit ; trop attiré par la ronde du soleil autour de la terre, par exemple, ou par la lune. Il est vrai aussi qu'on ne parlait jamais chez nous des choses de l'amour. Ou alors d'une façon qui m'échappait. A part l'oncle Jules, et Meftah qui comptait peu, il n'y avait pas d'homme à la ferme.

Il arrivait que l'oncle Désiré vienne. Il s'attablait en face de l'oncle Jules, tous deux parlaient machines, charbon, récoltes, argent. Il y avait parfois des disputes, des cris, des menaces. L'oncle Désiré s'en allait, la vie reprenait son cours, à peine troublée par son passage. Pas d'homme. Pourquoi aurais-je pensé que je devais avoir un père ? Où en était la nécessité ? Si l'idée d'un père s'éveillait quelque part, elle était tout de suite étouffée par le silence des femmes. Lorsque, quatre ans après ma naissance, une mauvaise nouvelle explosera à la ferme, et que ma mère dira : « Ton père est mort », je tomberai des nues. Qu'est-ce qu'un père ? Qu'est-ce qu'un père qui n'est pas votre père ? Qui était ce père mort ? Qui m'avait jamais appris que j'avais un père ? Je n'étais pas de ceux dont parle saint Paul, qui demandent un père à Dieu. Qu'aurais-je fait d'un père ?

Depuis ce jour où, à moitié endormi, j'avais eu vaguement conscience que j'avais un père dans les cieux, je m'interrogeais davantage. A table, quand on parlait de parenté, il arrivait qu'on attribuât ou qu'on qualifiât des paternités. « Ah ! quel bon père, disait-on de quelqu'un. Comme il aime ses enfants... » Que m'aurait apporté la personne d'un père que je n'aurais pas choisi ? Ma mère restait toujours muette à ce moment-là. Jamais un mot à propos de père. Il y avait autour de moi comme une conjuration de silence.

Si je ne me posais pas de questions, cela signifiait peut-être que je n'osais pas. Je n'étais pas encore allé à l'école, je ne savais ni lire ni écrire, telle ma grand-mère, mais j'allais m'y mettre. Je dévorais *Le Chasseur français*, à quoi l'oncle Jules était abonné. Le calibre des fusils de chasse et de guerre, l'art de mettre en joue, de viser, de tuer les bêtes fauves en Afrique noire, tout m'était déjà familier avec des images. Quand l'oncle Jules fabriquait ses cartouches, j'étais son assistant, j'observais tout, je m'instruisais sur la grosseur des plombs, le dosage de la poudre, les amorces, les douilles. Etait-ce cela, être le fils de quelqu'un ? Mais de qui ? Et quand, déjà presque endormi, ma mère me portait le soir dans mon lit, je n'entendais que vaguement : « Répète après moi, Zizi. Notre Père... »

Cependant, tout au fond de moi-même, le mot me tourmentait : j'avais été frappé des regards insistants de l'instituteur de Rovigo que parfois ma mère, si difficile alors sur les hommes, s'ingéniait à me montrer, et qui me portait l'intérêt qu'on devine. Muté à Staouéli, après le scandale qu'avaient provoqué ma naissance et les racontars qui avaient suivi, il s'arrangeait, au vif déplaisir de ma grand-mère, pour venir à la ferme. Ma mère changeait de visage, elle ne cachait pas son bonheur, je me doutais de quelque chose. Quand le gendarme mourut et que ma mère refusa de retourner à Rovigo pour assister à son enterrement, tout s'éclaira. J'avais un père, et ce n'était pas l'homme qu'on disait. Meftah et moi avions échangé des clins d'œil complices.

Quelquefois, avec le deux-roues de la ferme, et L'Arbi dans les brancards, il allait chercher l'instituteur aux Eucalyptus. Et pendant le trajet de la ferme à la gare, il regardait autour de lui, Meftah, et il s'interrogeait. Je l'entends qui se parle à lui-même : « Comment cette histoire tournera, car le père de l'enfant, le père de Zizi, c'est cet homme-là, je n'en ai jamais douté. Ça se voit à la façon dont cet homme se tient, dont il marche, dont il parle. Une femme a pu tomber amoureuse de lui. Et puis il n'est pas d'ici, il vient de France, il ne ressemble pas aux colons qui, s'ils n'ont pas volé la terre des Arabes, font comme si elle était à eux depuis toujours. Le gouvernement des Français l'a octroyée à ces gens-là, et ils marchent dessus avec le pas des propriétaires. Il faut les voir quand ils parlent à un homme des Zouaoui, à qui autrefois était cette part de plaine. S'ils pouvaient, ils lui enlèveraient jusqu'à l'air qu'il respire. Ils se croient chez eux, ils sèment le blé, ils plantent des vignes et ils disent qu'ils aiment cette terre, que c'est par amour qu'il restent et que, nom de Dieu de bon Dieu, comme dit M. Paris, ils brûleraient tout si, par hasard, on les forçait à s'en aller. Et des villages entiers de Kabyles descendent de la montagne au moment des moissons et au moment des vendanges, qui travaillent en chantant pour les étrangers venus du nord qui se sont attribué la plaine. Et pas seulement celle-là : aussi celle des Hauts Plateaux de l'est, vers Constantine, comme toutes celles de l'ouest, vers Oran, dit-on.

« A croire, se dit Meftah, que ce ne sont pas les mêmes, les hommes vêtus comme l'instituteur qui enseigne dans les écoles et ceux qui roulent sur les routes droites de la plaine avec leurs deux-roues, leurs breaks ou déjà leurs automobiles. Est-ce qu'on avait besoin de tout ça ? Aux Turcs, on donnait nos filles, on les mariait, ça devenait des Coulouglis, des moitié arabes et moitié turcs, des alliés, des beaux-frères. Tandis que maintenant... »

Les Arabes n'étaient-ils pas moins malheureux avant l'arrivée des Français ? On le disait, à part lui, Meftah. Qu'aurait-il été alors ? Il se le demandait, il n'en savait rien, sauf qu'il serait toujours un serviteur, qu'il vivrait dans un gourbi, peut-être encore plus misérable, moins payé, plus souvent malade et quel avenir pour ses enfants ?

Plus tard, quand ma mère se remaria avec l'instituteur, ce fut la chance de ma vie mais aussi mon départ de la ferme. J'allais vivre avec père et mère. En vacances, je revenais encore à la ferme ; ce n'était plus la même chose. Je grandissais. Je n'avais plus le même regard.

XVI

Ma mère avait toujours peur des Arabes. Elle répétait qu'il y en avait trop. Quel plaisir leur restait-il, sinon faire des enfants ? Je me penche un peu sur sa tombe : « Ce sont les mêmes qui sont là, me protègent des barbus qui veulent effacer toutes nos traces. »

Avait-elle peur d'eux seulement parce qu'ils disaient qu'on leur avait volé leurs terres sous un faux prétexte ? On chuchotait que le coup d'éventail du Dey à notre crapule de consul, c'était pour ne pas payer des dettes de blé et de fourrage que nous avions contractées envers la Régence d'Alger du temps de la Convention. Une injustice peut effrayer quand on se croit coupable. « Ce n'est pas ça ? » se demande-t-elle parfois. Elle ne se répond pas. Peur des Arabes à cause de leur mise ou de leur façon de regarder les femmes ? On dit, entre femmes qui y ont goûté, que ce sont des hommes au sexe terrible. Ou peur à cause de la prière du soir, qu'on aurait pu confondre, au début, avec un appel d'homme à homme à travers la plaine ? Non. C'était la voix du *mollah* devenu *muezzin*, à l'heure difficile du jour, quand la nuit tombe, qu'elle n'est pas encore la nuit et que, dans la montagne, les chacals commencent à japper par petits cris pour se répéter qu'on va pouvoir descendre dans la plaine, à travers les vignes, rôder autour des villages de roumis, alarmer les gens et les chiens et marauder pour se nourrir. Les chacals, avec leur criaillement encore vague, et la voix plus proche du douar appelant à la cinquième prière, la même *îchâ*, Dieu est grand. Dieu existe. Rien n'arrivera de ce que Dieu n'aura pas permis. Que les hommes pensent qu'ils sont les créatures de Dieu.

Tu te disais, mère bien-aimée, que lorsqu'on les rencontrait au village ou à la ferme, quand ton frère Jules discutait avec eux du prix des poules ou des œufs, ou de la part de terres qu'il désirait leur acheter, car il convoitait les terres arabes qui touchaient celles de la ferme, ils n'étaient pas inquiétants, ils ressemblaient à des hommes comme les autres. Pas quand la voix du soir éclatait dans le ciel pourpre, le ciel en feu et que le soleil flambait derrière le Chenoua à l'ouest, du côté de Boufarik et de Tipasa, non, non, les Arabes s'arrêtaient de marcher, se détournaient et se mettaient à prier, du moins quand ils croyaient qu'on les voyait. Ils s'agenouillaient, baissant leur front jusqu'à terre, jusqu'à presque la toucher de leurs lèvres, puis se relevaient, recommençaient et recommençaient jusqu'à ce que la voix s'éteignît. Où était l'injustice qu'on aurait commise vis-à-vis des Arabes dont alors on aurait pu avoir peur ? L'injustice était de leur côté, du temps de leurs goélettes corsaires, de leurs prisonniers dans les geôles d'Alger, de leurs captives dans les harems d'Alger et de tout ce qu'ils avaient volé dans leurs invasions pirates ou leurs razzias, comme ils font toujours. L'injustice qu'on avait commise sur ces gens-là, c'était pour se garder d'eux. Mais on ne discute pas, quand tombe la nuit, avec cette voix mugissante et le cri des chacals. Au nom de Dieu, au nom de Dieu... Parce qu'ils mettaient le nom de Dieu partout, les Arabes. « Laissez-le tranquille, Dieu, pensais-tu, ma mère chérie, fichez-lui un peu la paix, à Dieu... »

C'est vrai. Ma mère me faisait prier Dieu, le nôtre, chaque soir. Ça suffisait. Avec le leur, sans arrêt, les Arabes nous fatiguaient. Qu'est-ce qu'il avait à faire, Dieu, là-dedans ? L'oncle Jules, l'oncle Désiré, quand ils invoquaient Dieu, c'était pour jurer. « Nom de Dieu de nom de Dieu... » Pour protester contre l'injustice, contre l'argent qu'on ne leur avait pas versé, contre cette vérité monstrueuse ou magnifique, ça dépendait du jour ou du moment, qu'on était là sous le ciel puissant et doux, qu'on vivait, et que Dieu vous avait mis là...

XVII

Il y a moins de mille ans, sur la colline de Vézelay, en Bourgogne, le saint moine Bernard, cistercien, enflammait des centaines de milliers d'hommes du Nord et d'ailleurs, et, devant le roi et la reine de France, s'écriait en brandissant un crucifix : « Dieu le veut. » Le mot faisait fureur. Tout le monde criait que Dieu le voulait. Quoi ? Voulait quoi ? Dieu voulait Dieu. Le pape l'avait délégué, chargé de mission, le saint moine. L'armée de la seconde croisade se mettait en marche et, en ce temps-là, mon ardent compagnon l'aurait suivie, et moi aussi peut-être, pour délivrer le tombeau vide du Christ à Jérusalem. En passant, on pillerait quelques villes arabes, on grillerait des foules arabes, on essaierait de faire taire cette voix arabe qui rappelait que Dieu est grand. *Allah ou Khbar*. N'empêche.

N'empêche, oui. Quand on imaginait ce qu'ils racontaient, les Arabes, quand l'un d'eux revenait de La Mecque et que les autres, ses coreligionnaires, l'appelaient *hadj*, c'est-à-dire « sanctifié », alors les bras vous en tombaient. Le *hadj* disait qu'il y avait des Arabes par centaines de mille, par millions même en une année, ils ne se quittaient plus, ils allaient d'abord à Médine où le Prophète avait vécu, ils couchaient dans des caravansérails où ils n'avaient qu'une planche pour dormir, un peu d'eau par une chaleur épouvantable, cinquante degrés paraît-il. Ensuite, ils abandonnaient leurs vêtements de voyage pour se contenter, comme les femmes, d'un voile qu'ils s'enroulaient autour des reins, tête nue, sans chéchia ; ensuite encore, ils enlevaient leurs chaussures, leurs sandales, se livraient aux ablutions, les mains, les pieds, le sexe, le visage, pendant qu'un *mollah* chantait et qu'ils répétaient, après lui. Alors ils pouvaient entrer dans la mosquée, se serrer comme des sardines les uns contre les autres, debout, prosternés, agenouillés au nom de Dieu. Ensuite toujours, on les conduisait, comme un troupeau de moutons, là où le Prophète s'était battu contre de faux prophètes, de faux émirs, où il avait été blessé et avait perdu une dent, on leur montrait la colline torride où ils priaient encore et psalmodiaient. Et après deux jours, ou quatre jours, après toute une semaine de prière où, les uns sur les autres, affamés, mourant de soif, couchant à la belle étoile sur le sable du désert, et toujours en troupe, agglutinés les uns aux autres dans le saint nom d'Allah, n'étant plus des hommes, ne ressentant plus ni la faim ni la soif, ni le sommeil ni la fatigue, ni le souffle d'enfer qui les poussait, ils devenaient comme un vol non de sauterelles mais, à terre, de criquets avançant vers La Mecque, telle une innombrable masse frémissante, ils réussissaient, à force de patience et de persévérance, et avec la permission d'Allah, à toucher la Pierre noire, la pierre sacrée, tombée du ciel où était monté le Prophète sur la jument ailée. Alors ils étaient *hadji*, sanctifiés, saints.

Et l'homme, le croyant de Sidi-Moussa ou de Rovigo qui revenait de là-bas, s'il revenait vivant, c'était un *hadj*. Il n'avait plus que la peau et les os, on lui offrait des monceaux de victuailles, de la viande d'un mouton égorgé face à l'est par un *mollah*, de succulentes pâtisseries au miel, et il refusait tout. Dieu lui suffisait, *Allah ou Khbar*, et il y avait dans ses yeux comme une lumière qui brûlait ceux qui le regardaient. La lumière, le feu de Dieu. Plus rien n'existait pour lui. Et il racontait comment, l'esprit en Dieu, hors du présent, hors de la vie, emporté par des multitudes de croyants répétant à l'infini le nom sacré d'Allah, respirant de la poussière, mangeant du sable, insensibles à la chaleur du soleil à nu, un brasier, il avait touché de ses mains parcheminées la pierre sacrée. Ses mains à lui, on n'arrêtait pas de les baiser, elles transmettaient la foi de ce moment qui commande à l'esprit de chanter le nom d'Allah, un peu comme les enfants dans la classe coranique, quand ils ânonnent et ânonnent un verset du Coran. Et ceux-là, touchant ces mains, recevaient un peu du souffle de Dieu qui donnait la vie et l'esprit à la glaise, repartaient et le racontaient à d'autres qui venaient nous le dire. Meftah rêvait d'aller aussi sur le tombeau de monseigneur Moïse, Sidi Moussa, baiser les mains du saint pèlerin, du *hadj*, mais le pourrait-il ? Il en avait parlé à l'oncle Jules et l'oncle Jules avait dit : « Un jour nous irons, toi et moi, un jour je t'emmènerai... » « Louange à Dieu, avait répondu Meftah. Dieu est grand. » Je ne me moque pas. Je me souviens de ce qu'un grand écrivain algérien, laïc et antifrançais forcené, a écrit sur ce pèlerinage auquel il avait une fois participé lui-même : une farce.

N'empêche, à entendre ce récit, ma mère pensait à une vague de criquets gris avançant sur la ferme, dévorant tout, recouvrant la maison, pénétrant par les fenêtres et par la porte, tombant du toit et des plafonds. Pour elle, c'étaient les Arabes, cette universalité à qui on disait d'aller, et qui allaient, à qui on donnait des armes, et qui tuaient, à qui on disait de tuer, et qui égorgeaient. Le sang des Infidèles et des pécheurs coulait comme celui des moutons qu'on sacrifie pour l'*Aïd el-Kebir*, quand Dieu n'avait pas voulu qu'Abraham égorge son fils unique Isaac. Oui, dans sa tombe fleurie de mes roses et des grappes bleues, elle avait encore peur, ma mère. Car maintenant je me doutais que cet arbre était originaire d'Amérique du Sud.

Et moi aussi, soudain, j'avais peur. Et j'ai encore peur, quand j'y pense. Même à Lourdes où une grosse dame d'œuvre autoritaire m'a emmené une fois, quand j'avais dix-huit ans, j'ai eu peur. Et je pense qu'à Vézelay, quand le saint moine Bernard a lancé « Dieu le veut » à tous ces hommes d'armes et qu'ils se sont mis en marche, dévastant tout, j'aurais eu peur aussi. Et puis, quand les pèlerins apercevaient enfin Vézelay, ou Compostelle, ils se prosternaient comme les Arabes, et il était ordonné dans le rituel de se laver le sexe : *lava mentulam*, cette cochonnerie par où le péché se faufilait.

Il n'y a pas que les Arabes, ma mère. Nous aussi, nous avons été des sauvages.

XVIII

A présent, je n'ai plus peur d'eux. Il n'y a plus de France colonialiste et d'Algérie colonisée, mais une France ancienne colonisatrice et une Algérie libre et indépendante, liées entre elles par le sang des guerres, ciment entre les victimes. Est-ce que l'homme de qui je porte le nom a pu imaginer cela ? Est-ce que mon père l'instituteur a pu te le laisser entendre, au moins une fois, à toi, fille de petits colons à qui on avait promis l'eldorado ? Les Arabes sont devenus des amis. Ils veillent sur moi et me protègent d'autres Frères qui veulent la mort des étrangers, comme autrefois où tu te croyais chez toi, et où, en cachette, les enfants de Meftah m'apprenaient que j'avais un sexe.

En ce temps-là, la photographie était à peine inventée. Des artistes amateurs passaient dans les fermes, et en quatre coups de crayon brossaient le portrait des gens de la famille. J'en ai un de l'enfant que je suis à deux ans, assez ressemblant, avec un ruban bleu dans les cheveux, signé K. de... Sans mon frère René, je n'aurais rien d'autre de la ferme. Les seules vraies images que j'ai, c'est à lui que je les dois, mais les vraies de vrai, c'est à Meftah.

Mon frère René avait seize ans de plus que moi. Attachant, délicat, travailleur, la droiture même. Il devait ressembler à son père et souffrait visiblement du peu d'amour que ma mère avait pour son mari. Comme il sentait trop bien qu'il comptait peu, dès qu'il le put, il partit travailler ailleurs, à L'Arba, puis à Alger. La mécanique l'attirait. Il se lança d'abord dans les cycles. Cependant, il m'aimait beaucoup. Sur son vélo de marque Thomann il m'asseyait sur le guidon, mon dos appuyé contre sa poitrine, les jambes en avant, et m'emmenait parfois jusqu'au village, quatre kilomètres, où il me présentait au charpentier Berthaut et à ses filles. Il évitait les ornières et les nids-de-poule de la route pour ne pas me secouer, ou alors me hissait à califourchon sur ses épaules. Je me sentais bien, nous allions plus vite qu'avec L'Arbi en deux-roues, car mon frère était un cycliste habile et vigoureux qui ne rêvait que de courses. Je me suis longtemps demandé pourquoi il était si rebelle aux études. Il aurait pu, comme d'autres, les continuer, passer des examens, récolter des diplômes. Que ma mère admirât les hommes qui parlaient bien et avaient de l'instruction le bloqua. Il eut la fierté de vouloir être comme son père à lui, sans rien demander à personne. La photographie l'attira. Il acheta un petit Kodak muni d'un déclencheur automatique, le fin du fin, et prit des photos. Ma photo la plus précieuse, je l'ai grâce à lui.

Ce jour-là, il nous annonça qu'il allait nous prendre tous. Ma mère et ma grand-mère s'habillèrent comme pour la messe. Ma grand-mère a un chignon tout neuf, ma mère un corsage chic et une ceinture de soie à boucle d'onyx. Elle me tient solidement par les épaules car, mauvaise tête, j'ai refusé de paraître, on se demande pourquoi. Pour qu'on me prie, sans doute. Qu'on me supplie même pour montrer qu'on tient à moi. Le seul à être comme tous les jours est l'oncle Jules, avec un paletot trop court et fripé, un pantalon rapiécé de partout. Chose étrange, il porte des escarpins fatigués, mais il arbore, un peu incliné sur l'œil, son canotier toute saison. René nous a dirigés, a fixé son Kodak sur un trépied et, au moment de déclencher, est prestement venu à côté de ma mère. Tout le monde sourit sauf moi, sale gosse aux cheveux à la Bonaparte selon ma grand-mère. Un brassard de crêpe au bras de mon frère indique le deuil de son père. Sous un complet de toile mal raccommodé, il a un gilet. Une moustache lui donne plus que son âge. C'est son père à vingt ans avec une chevelure abondante. L'oncle, un peu intrigué, garde ses mains derrière le dos. C'est le début de l'hiver 1911-1912, on voit les feuilles mortes du noyer planté là. Derrière nous, c'est l'entrée de la cave. Il manque quelqu'un : Meftah, qui devait nous regarder de loin. Personne ne lui a demandé de venir, il est pourtant presque de la famille. Pas assez pour figurer sur la photo historique. Ça ne se fait pas avec les domestiques indigènes. Les maîtres sont les maîtres. Si encore c'était Meftah au travail, avec les bœufs, à la charrue, peut-être. Ce serait une image d'ethnologue. Quel dommage ! De Meftah, me reste qu'il appartient à ceux que mon frère René appelle gentiment les troncs de figuier, le sobriquet sous lequel on les désigne, et qui résume, sans méchanceté mais non sans un certain mépris, l'opinion générale. Des paresseux, des pas bons à grand-chose. Comme Dieu a voulu.

Nous, sur cette photo, on a tous l'air un peu triste malgré le sourire, sauf l'oncle Jules à peine rigolard, plutôt méfiant.

XIX

Voilà que je pense à mon frère René, à présent, toujours séparé de moi par ses seize ans de plus. Il est d'un autre siècle, lui. Comme toi, mère chérie, comme moi à présent, qui allons bientôt nous retrouver. Mon frère, ton premier fils, l'exemple de la famille par la droiture, l'honnêteté. Costaud, il n'aurait pas fait de mal à une mouche, toujours prêt à rendre service, même aux « troncs de figuier ». Ainsi avait-il le sentiment de sa supériorité sur eux et les traitait-il comme des enfants, à peine nés à la civilisation, qui ne savaient rien faire de leurs mains. Les gens qui ont connu mon frère à l'époque, quelles louanges sur lui ! Si digne, si ponctuel, si habile dans la mécanique, si ingénieux parfois. Et puis, pas coureur de filles pour un sou, on disait qu'il se marierait avec Louise, l'avant-dernière fille du charpentier Berthaut, il ne regardait qu'elle. Les autres, rien. Poli, courtois, amusant, mais jamais un brin de cour, pas ça ! Tout était pour Louise. Et, fiancé ou presque, comme s'il avait été marié depuis vingt-cinq ans. Des modèles de vertu, lui et elle, qui ne manquaient pas d'esprit. Et même piquant, l'esprit.

Quand j'ai grandi, j'ai trouvé mon frère sortant moins de l'ordinaire. En revanche, Robert, le fils de mon père, l'enfant que l'instituteur avait eu de sa première femme, en France, près de Bar-sur-Aube, était un rouquin flamboyant qui faisait des études pour devenir comme son père, instituteur. « Instit », comme on dit à présent. En ce temps-là, l'instituteur était quelqu'un, il savait tout. On le respectait. Souvent secrétaire de mairie, il devenait parfois maire, comme le grand-père. Maire ! et avec ça, beau garçon, le Robert, qu'on ne voyait que rarement parce qu'il s'entendait mal avec son père, il en avait trop bavé avec lui et préférait rester où il était, pensionnaire à l'Ecole normale ou ailleurs, et plus tard chez lui, dans son école de Rébeval en Kabylie, avec les indigènes plus qu'avec son géniteur. Quelquefois il venait chez nous, on l'admirait. Elégant, beau gosse, bien coiffé, et réplique à tout. Quand il était là, son père se gardait de toute critique à son égard, même minime. Il l'envoyait balader, son père ! L'un et l'autre, René et Robert, l'amour d'une mère leur avait manqué. Robert, par le divorce rapide de ses parents, avait dû suivre son père en Algérie, et, entre son père et lui, c'était toujours de la mauvaise humeur, des chicanes sur les devoirs de classe, et puis, quelle nourriture, quel frichti ! Comme le père ne gagnait que son traitement, c'est-à-dire rien, la soupe était maigre. Dans l'atroce vallée du Chélif, à Saint-Aimé-la-Djidouïa, quel nom, quel patelin ! la vic, sclon Robert, avait été épouvantable, car le père devait verser une pension à son ancienne femme. Ils vivaient comme des chiens, disait Robert quand on l'interrogeait et qu'il répondait, car il ne répondait pas toujours, parfois orgueilleux et méprisant. Il se considérait d'une essence supérieure aux colons ignares et prétentieux, était plus tolérant à l'égard des Arabes, d'après lui, moins bêtes que les colons, malgré les apparences. Lui, le beau rouquin, était un fameux lapin. C'était moins son père qu'il venait voir en vacances qu'une belle brune qui habitait près de chez nous dans une maison bourgeoise, « l'Autrichienne en caraco rouge », disait mon père quand il fut nommé à Aïn-Taya.

Voilà ce que je rappelle en douce à ma chère mère, au cimetière de Sidi-Moussa sous une voûte bleue d'Amérique et une brume de saison, au milieu des Arabes qui nous protègent, tandis que mon compagnon si attentionné, si attentif à mes moindres désirs, si affectueux pour moi, paraît un peu déçu. Je me demande parfois comment il voudrait que je sois pour honorer la France et l'honorer aussi, lui un ancien pilier d'équipe de rugby, une solide armoire à glace avec beaucoup de cœur.

Voilà ce que je dis, mère chérie, à propos de mon frère René sorti comme moi de ton ventre, et de mon demi-frère Robert, issu comme moi du violent désir de mon père l'instituteur.

XX

Un jour, je devais avoir huit ou neuf ans, en 1915 ou en 1916 pendant la guerre. C'était l'été, mes deux frères étaient là, à la ferme, René l'utérin et Robert le consanguin. René, seulement maréchal-des-logis-chef dans l'artillerie lourde, l'autre sous-lieutenant au 1er zouaves. Par chance, en permission tous les deux, et en même temps à Alger où nous habitions alors 16, rue Montaigne, au deuxième étage, dans le quartier de Bab el-Oued que j'ai dit, et qu'on appelait l'Esplanade, un appartement de trois pièces-cuisine avec balcon. Robert et René en même temps, ça faisait beaucoup de monde. Mes parents dans une chambre, les deux soldats dans l'autre, moi dans la salle à manger sur un matelas par terre. On se lavait dans la cuisine. « A la guerre comme à la guerre », disait mon père, en guise d'esprit, ce qui lui attirait un mot acerbe de Robert. J'étais fou de joie. Les uniformes, et tout ce que les héros avaient rapporté du front : René, des douilles d'obus en cuivre ciselé de fleurs et un fusil allemand, un mauser. Robert, un mauser aussi, mais dans un étui, un pistolet à tir automatique, et des cartouches lourdes, fines. « N'y touche pas », avait répété Robert, en kaki et drap fin, un galon d'or sur les manches et des chevrons sur la manche droite, un par six mois de front, rien sur la manche gauche, consacrée aux blessures, pour distinguer les combattants des embusqués, et, déjà, une croix de guerre avec deux étoiles. René aussi en avait une, avec une seule étoile, il finissait son service militaire à Menton quand la guerre avait éclaté, ce qui lui faisait plus de quatre ans sous les drapeaux, et il n'était que sous-officier. De Robert, mon père disait avec un brin de jalousie : « Il n'a qu'à faire la rue d'Isly, les caillettes lui tomberont toutes rôties dans la bouche... » C'était vrai. Au Tantonville, café chic et café-concert au pied de l'Opéra, il semblait chez lui avec le gratin d'Alger. Mon père n'osait pas s'y montrer. Il y avait, prétendait-il, des femmes de mauvaise vie. Comme si, je l'ai su plus tard, il ne les aimait pas, les dames un peu olé-olé !

A la ferme, la place ne manquait pas, car l'oncle Jules était mobilisé à Batna, dans l'artillerie territoriale. Ma mère couchait avec ma grand-mère, René dans l'appartement de l'oncle Jules près de la noria, Robert dans mon lit, et moi encore sur un matelas par terre avec mon père dans la salle à manger. Ma mère passait son temps à cuisiner pour tous ces hommes, dehors dès que le soleil était haut. Il faisait chaud. Un jour, ils voulurent essayer le mauser de René. Tirer sur quoi ? Dans le tronc des arbres d'abord, puis René suggéra qu'on pouvait effrayer les petits Arabes du douar qui grimpaient sur les cerisiers couverts de cerises, à deux ou trois cents mètres de là. Robert visa longuement, tira, le coup produisit une forte détonation qui m'apprit que c'était une arme de guerre, et non le fusil de chasse ou le flobert dont on se servait ici pour les pigeons. Nous vîmes les petits Arabes dégringoler des arbres en vitesse. « Tu n'as pas tiré sur eux, au moins ? » demanda René. « Je ne suis pas un sauvage », répondit Robert. René saisit le mauser à son tour et tira deux ou trois fois. « Ça leur apprendra », dit-il en riant. Les gamins s'enfuyaient comme des moineaux vers les gourbis du douar.

A table, René raconta l'essai du mauser. « Fallait voir comme ils se carapataient, dit-il. On n'allait pas leur faire du mal, ajouta-t-il, ils ont dû entendre les balles siffler à leurs oreilles. Ou claquer. » Ma mère précisa que ces cerises-là étaient des bigarreaux à chair juteuse et succulente, trop souvent pillées. « Les pruneaux les protégeront », conclut Robert. Je me souviens du méchant mot d'esprit.

La conversation roula un moment sur les Arabes. De Batna, l'oncle Jules écrivait qu'ils étaient capables de se soulever au retour des régiments de tirailleurs, une fois la guerre finie.

Dans la plaine, on n'était pas tranquilles. On avait peut-être eu tort de les enrôler et de leur apprendre à se battre. Robert intervint pour dire que beaucoup d'entre eux étaient de bons soldats et espéraient devenir français. « Tu crois ? dit René. Ce seront toujours des troncs de figuier. » Ma mère approuva. Elle était de moins en moins tranquille depuis que l'oncle Jules n'était pas là, mais on disait qu'en raison de son âge, il serait bientôt démobilisé. N'empêche, souvent deux femmes seules et un enfant quand ma mère était là, et, plus souvent, ma grand-mère toute seule...

Ce fut une des rares fois où Meftah prit part à la conversation, ce qui prouvait qu'il comprenait tout ce qui se disait. Il était debout, tel un serviteur, derrière la table où nous étions assis. Il se redressa et d'une voix très ordinaire, d'un ton très doux, comme si de rien n'était, s'adressant à ma mère, il dit : « J'suis là, moi, madame... »

Robert approuva. « Pourquoi pas ? » Puis il ajouta : « Pendant la guerre de soixante-dix, on les avait enrôlés aussi comme spahis et comme tirailleurs, contre les Prussiens. Ceux-là ne sont pas revenus, ils se sont fait hacher en Alsace. Vous étiez à peine née, Mathilde. »

Cela jeta comme un froid.

XXI

Il parlait à ma mère comme à une parente éloignée, du même âge que lui. Pas comme à la digne épouse de son père. A sa belle-mère. Non seulement avec condescendance mais avec une certaine distance. Si elle était de la famille, et remariée avec son père, c'était grâce à une loi, et la loi n'empêchait pas qu'il y avait du mic-mac là-dedans, et que son paternel était un drôle de coco.

Nous ne composions pas, comme la plupart des colons ou des gens de notre quartier, une famille très convenable. Du moins c'est l'idée qui m'en est restée. En Algérie, on était soucieux de morale, disait mon père, à qui son fils Robert reprochait souvent la façon dont il s'était conduit dans sa jeunesse. D'après Robert, il avait trompé sa première femme puis l'avait quittée pour une créature, pas toi, mère chérie, pas toi, non, non. Une créature qui avait fini par le tourner en ridicule et à cause de qui il avait demandé sa mutation en Algérie. On ne parlait de cela qu'en termes voilés, à cause de moi, et mon père n'en menait pas large. Robert, mon frère consanguin, me considérait comme le nouveau bâtard de son père, à qui j'avais cru deviner qu'il en attribuait un autre, inconnu encore, celui-là. Et toi, ma mère chérie, si empressée d'aller à la messe, et que j'ai toujours placée sur les autels de la vertu, Robert te traitait sans le moindre respect. Parfois même, il laissait entendre qu'à Rovigo, là où tu tenais l'hôtel des Eaux thermales, on pouvait se comporter comme une... Il ne prononçait pas le mot. « Oui, vous, Mathilde », disait-il. Car il osait t'appeler par ton prénom. Avec le recul du temps, j'en rougis de honte. Toi, mère chérie, une femme légère, une putain ! Toi qui, j'en suis sûr, n'as connu que deux hommes dans ta vie : le gendarme à queue de cheval et l'instituteur aux paroles de flamme du début. Moi, j'étais le péché de ma mère, le seul qu'elle eût jamais commis. On en parlait devant moi à cause de la guerre, de Robert et de René si beaux, si mâles, et qui, repartant sans être sûrs de ne pas y laisser leur peau, ne ménageaient personne.

Même à la ferme, le langage devenait cru et cruel, sans précaution pour moi ni respect pour ma grand-mère qui ne cachait pas sa désapprobation, ce que Robert relevait avec condescendance : « Vous êtes scandalisée des expressions que j'emploie ? C'est que vous n'avez pas vu ce que j'ai vu : les camarades morts, raides à côté de vous et qu'on ne peut pas sortir des trous sans risquer de se faire tuer soi-même. Ah ! oui, la bienséance, les conventions, c'est loin... » J'écoutais, je ne comprenais pas tout, je comprenais seulement que les relations entre hommes et femmes avaient changé. L'amour n'était plus ce qu'il était.

Toi, ma petite mère chérie, je vais te quitter une fois de plus, je ne peux pas rester davantage près de toi. Nos protecteurs regardent leurs montres. Tu vois, ce sont des hommes comme les autres, nous nous entendons bien. Je ne me sens plus un bâtard avec eux. Ce sont des frères ou presque, après le siècle que nous avons passé ensemble et la façon dont nous nous sommes conduits. Encore que notre famille n'ait rien à se reprocher. Une des filles de l'oncle Désiré s'est mariée avec un étudiant kabyle, et moi, après Robert, j'ai pris la défense des hommes qui se sont fait hacher pour nous à Guebwiller, et de leurs héritiers. Je les ai « compris », comme dirait de Gaulle...

La permission s'acheva. Robert et René reprirent le bateau pour Marseille. En l'absence de l'oncle Jules, nous restâmes quelque temps à la ferme avec ma grand-mère. Ma mère savait se servir d'un fusil, le mauser ne lui faisait pas peur. Elle l'accrocha dans la chambre qu'elle partageait avec sa mère. Meftah jouait au patron avec les chevaux et les bœufs. Il redisait aux femmes : « N'ayez pas peur. J'suis là. » Moi aussi j'étais là, sacré bon Dieu ! Au cimetière de

Sidi-Moussa, devant leurs tombes à presque tous, aux justes comme aux injustes, à ceux qui avaient tué ou étaient morts pour la même cause, aux faibles et aux lâches, j'offre aussi mes fleurs. « Je vais te quitter, mère chérie, plus vieux que toi et sans savoir ce qu'à présent, là où tu es, tu sais. »

La vie s'est retournée, ce que nous avons pris aux Arabes, nous le leur avons rendu d'une autre façon ; ils se dévorent entre eux. Et comme nous sommes allés chez eux, digne retour des choses, ceux qui le peuvent viennent chez nous. Nous leur avons légué notre manie de ne rien faire comme les autres et, en dépit de toutes les erreurs que nous commettons, cette grâce d'aimer tout en simulant le contraire, et de nous faire aimer, ce mystère que les meilleurs de ses enfants, la France les fabrique parfois avec des étrangers, comme Dieu avec la glaise, parfois avec les plus pauvres de tous et les plus près de nous, eux, les Arabes. Pour le moment, ils s'exterminent, ils s'égorgent, parfois au nom de Dieu, parfois en vertu de la liberté de pensée. Nous sommes partis, nous leur avons laissé, contraints et forcés plus que de notre gré, cet énorme joyau de la planète et peut-être du cosmos. Quand je regardais, enfant, le soleil se lever sur la plaine et la recouvrir de sa gloire, je me disais qu'il en était ainsi chaque jour, que c'était un rite immuable. Je ne pensais pas à demander à l'oncle Jules de m'expliquer notre position par rapport au soleil du matin et aux étoiles du soir, et notre existence à nous. Je ne me doutais pas qu'il avait fallu tant de conditions pour que, sur notre planète, la vie ait pu être engendrée. Parfois, quand nous étions seuls tous les deux, Meftah avait un geste tournoyant qui allait des montagnes à la mer invisible en passant par le ciel éblouissant, puis il me regardait et disait : « *Djab Rebbi*. »

Plus tard j'ai su qu'il voulait dire que c'était Dieu, son Dieu à lui, qui nous avait offert tout ça. Je hochais la tête, j'approuvais comme si je comprenais. Il avait l'air content, Meftah. Puis le temps a passé par longues saisons, autrement que j'aurais cru. Après la guerre de mes frères, il y a eu une autre guerre à moi. Puis ce que j'ai osé appeler, le premier, en 1960, la guerre d'Algérie, un terme interdit, tabou.

J'avais grappillé des années par dizaines, j'avais de l'âge.

XXII

Quand, nouveau converti à la justice, je dirai à ma mère que les événements de Sétif étaient dus au peu d'égards que nous avions eus pour les Arabes, elle n'en croira pas ses oreilles. « Peu d'égards, je t'entends, et pour qui ? Pour ces fainéants, ces pouilleux, ces ignorants, à part quelques-uns, pour ces sauvages ? Ils ont toujours été soumis comme des esclaves. J'en ai connu très peu qui ne méritaient pas ce mot. Nous leur avons appris à se servir de ce que nous avons inventé : les automobiles, les trains, les tramways, l'électricité, nous leur avons apporté la lumière alors qu'ils étaient dans la nuit... » Elle rabâchait sa rengaine comme un chapelet. « Nous les avons soignés, nous avons bâti des hôpitaux. Et des routes quand ils ne se déplaçaient, et encore ! qu'à dos de bourricot. Qu'on les ait enrôlés dans notre armée, qu'ils se soient fait tuer pour nous, qu'il y en ait eu trente mille qui soient morts pour la France dans la guerre 14-18 ou en 70, comme dit Robert, ils devraient nous baiser les mains ! Tu es trop bon, mon petit, reprit-elle après une hésitation. Ton séjour en Angleterre a dû te changer. Souviens-toi, à la ferme, qu'est-ce que tu attrapais avec eux ? Et comment se traitaient-ils entre eux dans les régiments de tirailleurs d'autrefois ? Souviens-toi, répéta-t-elle, ces gens-là ne sont rien. Nous les avons instruits pour qu'ils nous mordent. Ils feront pire. Un jour, ils se révolteront, et comme ils n'arrêtent pas de faire des enfants, à peine un million étaient-ils quand nous sommes arrivés, les voilà six, sept, huit millions, ils nous submergeront. A Bab el-Oued et dans les rues, il n'y a plus que des Arabes. Un million de plus par an, tu verras. Leur Algérie, c'était des gourbis et des marais à la conquête. Maintenant, c'est la France. Aussi beau. Méfie-toi, mon chéri. »

Je ne répondais pas.

Les anciens colonisés, on les appela alors Français musulmans. Ils ne nous avaient pas dévorés, mais chassés. Ceux qu'on appelait les pieds-noirs, généreux, prêts à tout croire, comme à ouvrir leur cœur à tous, avaient eu peur comme ma mère. Ils ne voulaient pas laisser leur peau ici, ils se disaient entre eux qu'ils avaient travaillé comme on disait encore, pour le roi de Prusse, pour faire de l'Algérie une terre fertile, puissante, belle au point que tout le monde en était amoureux. De la propagande du FLN ils n'avaient pas voulu entendre les sornettes : qu'ils auraient les mêmes droits dans l'Etat algérien, du genre liberté de conscience, liberté du culte, qu'ils seraient considérés comme des Algériens et que leurs biens seraient respectés. D'un geste grossier, qui disait bien ce qu'il voulait dire, ils montraient qu'ils n'étaient pas dupes et, du fond de sa tombe, ma mère les approuvait.

Quelques naïfs étaient restés. Dans les villages de la plaine, les Arabes de la montagne s'étaient emparés des maisons vides, ce qui paraissait inévitable, il devait y avoir des accords à ce sujet sur les « biens vacants ». Il y en avait, des accords, mais les anciens colonisés ne les respectaient pas, ce qui semblait fatal et n'avait rien de scandaleux. Ma mère l'avait bien prévu. Elle n'était plus là pour répéter qu'elle avait raison.

Elle attribuait mon changement de mentalité à Amrouche, que je lui avais présenté une fois à Alger. Elle ne l'aimait pas. Naturellement, il lui fit bonne figure, et la flatta un peu. Un Kabyle. Un produit du cardinal Lavigerie, qui s'était mis le doigt dans l'œil en espérant qu'il allait convertir la Kabylie avec ses Pères blancs. Un fils de *m'tourni*, comme disaient les Arabes avec mépris. Amrouche avait beau être professeur, de français s'il vous plaît, sortir de l'Ecole normale de Saint-Cloud, être officier de zouaves de réserve, ça ne lui en imposait pas. C'était pour mieux profiter. Mieux nous tromper. Et il épousait une Française ! Il mangeait du cochon, il se disait chrétien, il parlait de saint Augustin, il se voyait ambassadeur d'Algérie auprès du Saint-Siège, et quoi encore ?

Un moment, j'en eus assez. Je demandai à ma mère si elle se souvenait du professeur arabe que mon père, son second mari, instituteur à la Casbah à la fin de sa carrière, avait amené un jour à la maison, rue Montaigne, à Alger, pour déjeuner. C'était pendant les vacances de Pâques, j'étais là. Un Arabe habillé en français, beau comme un archange, grand et doux, et poli, s'exprimant avec la componction d'un évêque. Mon père l'installait à la table de la salle à manger. « Vous allez partager notre très modeste repas... Si, si », insistait-il. Elle était affolée, mais enfin, elle avait tenu un petit restaurant, elle saurait fricoter quelque chose. Elle s'affaira et s'adoucit. Pensez ! Une omelette aux pommes de terre et du riz à l'espagnole qui lui restait. Un professeur d'histoire. Elle l'appelait « monsieur »...

Le professeur s'intéressa à moi, voulut savoir où j'en étais de mes études, le latin, le grec. Il parlait le latin. Et pour mettre du liant : « Savez-vous comment je m'appelle ? » Non, je ne savais pas. Mon père bafouillait. « Abdelkader Nououareddine. Nououar, cela signifie fleur, une fleur. Eddine, vous le savez, c'est un mot qu'on emploie souvent dans les injures arabes ici. Mais là : fleur de la religion... » En moi-même je pensai : *naddine immek*, la putain de ta mère.

Du professeur Nououareddine on parla beaucoup, longtemps. Il avait époustouflé ma mère. Mon père se flattait de le fréquenter, mais il disait, un peu honteux : « Un Arabe qui en sait plus que moi... » Et ma mère était bien obligée d'admettre qu'il y en avait d'admirables, des bicots. Pour elle, d'autant plus dangereux. Ainsi d'Amrouche. D'autant plus qu'il pouvait séduire. Armand Guibert, le poète de Tunis, que ma mère recevait de temps en temps et qui était amoureux d'Amrouche, disait : « Il porte une couronne d'étoiles »... Encore ne savais-tu pas, mère chérie, qu'il deviendrait directeur de revue à Paris, qu'il interviewerait Claudel, Mauriac, Gide, Jouhandeau, que c'est grâce à lui que j'ai écrit *La Vallée heureuse*, qu'il parlerait à la radio nationale... L'aurais-tu appris que tu aurais quand même dit : « N'empêche, chez lui, il doit dormir sous la tente et manger avec ses doigts... »

Ce n'était pas ta faute. Tu n'étais pas plus mauvaise que les autres. La plupart des femmes chez nous parlaient comme toi. Elles avaient peur. Et puis, tout passe si vite dans la vie, on n'a pas le temps de comprendre. Ou alors, c'est trop tard.

XXIII

Là, je m'approche de Mustapha, mon protecteur. Pour qu'il comprenne en quel état d'esprit je suis, je lui touche l'épaule et, à mi-voix, je lui dis que le besoin de justice qui est en moi, que je ressens pour des paroles qu'on a parfois jetées aux Arabes comme à des chiens, ni ma mère ni mon père ne me l'ont inculqué, et les lazaristes encore moins que les pieds-noirs. C'est Camus, en 1945, qui m'a fait honte de ma mentalité d'alors. J'avais trente-huit ans et je sortais de la guerre. Pour lui, les Arabes étaient des hommes comme les autres, ils souffraient de la chaleur, de la maladie, du froid, ils avaient une âme.

« Comme moi, une âme ?

— Comme toi », répliqua-t-il.

Stupéfait, je me tus. Cela se passait à Paris, à la terrasse d'un café connu du Quartier latin. A Mustapha je l'ai dit et redit. J'insiste parce que j'avais alors, comme la plupart de mes compatriotes d'Algérie, l'esprit d'un enfant de douze ans. Mustapha approuve.

Chez moi, en un éclair, tout a changé. Plus tard, en Indochine, me gardant de toucher à une arme, j'ai vu de mes yeux, à côté d'un général qui m'avait pris en affection, qu'on grillait les villages rebelles au napalm et qu'on liquidait les survivants à la mitraillette. Une crise de conscience s'est installée chez moi, que j'ai résolue sans maudire quiconque, et même en célébrant le courage et les vertus des uns et des autres. Est-ce clair ? D'ailleurs, personne ne s'y est trompé. Après un pèlerinage à la cité mystique d'Angkor Vat et au temple où Çiva était représenté debout, tenant droit son épée entre ses deux femmes, j'ai quitté l'armée en silence. Camus m'avait dit : « De ce qui se passe en Indochine, on ne sait rien. Tu nous diras. » Je n'ai pas osé, je me suis tu. Aurais-je parlé que je n'aurais pas été entendu. Contre la guerre d'Indochine il n'y avait que les dockers de Marseille à se mettre en grève parfois. Mais quand, deux ans plus tard, en Algérie, se sont révoltés ceux qu'on appelait les rebelles, et que *L'Express* me demanda de dire ce que j'en pensais, j'ai plaint mes camarades qui recommençaient de brûler les gourbis au napalm, ce qui signifiait que je me rangeais du côté des opprimés. Là, Camus m'a blâmé. Pour lui j'y allais trop fort.

J'attendis comme beaucoup que la vérité coule de sa bouche. Il condamnait ce qu'il appelait la longue violence de la colonisation et plaidait avec force pour une fédération et la justice pour tous. En 1957, Kateb Yacine, qui était né pas loin de lui, lui écrivit pour lui demander de se retrouver, comme « deux frères ennemis », devant le corps de sa mère « jamais tout à fait morte ». Nous n'en sûmes rien et la lettre resta sans réponse. Jugea-t-il que Kateb Yacine n'était pas un interlocuteur digne de confiance ? Personne n'a daigné m'éclairer à ce propos. Camus reçut le prix Nobel. C'est là qu'il dit qu'il préférait sa mère à la justice. En 1958, il écrivait encore : « *L'injustice dont le peuple arabe a souffert est liée au colonialisme lui-même, à son histoire et à sa gestion. Le pouvoir central français n'a jamais été en état de faire régner totalement la loi française sur ses colonies. Il est hors de doute enfin qu'une réparation éclatante doit être faite au peuple algérien, qui lui restitue en même temps la dignité et la justice*[1]. » Pour lui, tout devait être accordé, sauf l'indépendance, car il n'y avait jamais eu de nation algérienne, et les Français d'Algérie étaient eux aussi, d'une certaine façon, des indigènes, donc à traiter avec respect et ménagement. A ce titre, la Constitution française devait être réformée. Dans le cas d'une indépendance, Camus prévoyait, pour la France, l'Algérie perdue, et pour les Arabes, des conséquences terribles. Ce qui a eu lieu. Ce qui continue.

1. *Actuelles III*, p. 202, Gallimard, 1958.

C'est à Meftah que je pense encore, qui demandait seulement à Dieu de le nourrir, lui et sa famille, de lui donner de la galette de blé dur que j'aime tant, et de protéger ma grand-mère qui, chaque mois, lui glissait une petite pièce. Dans l'article que j'ai publié dans *Le Monde* à mon retour d'Alger, parlant de ma grand-mère qui ne savait pas lire ni écrire, j'écrivais que lorsqu'on lui demandait à qui, dans les origines, appartenait une terre si riche, elle répondait : « Pas une miette de cette terre qui ne soit injuste », et là, tout à coup, un *ne* lui faisait dire le contraire de ce qu'elle pensait. Voilà qu'un *ne*, intercalé par erreur dans la dactylographie, devenait non seulement de trop, mais dénaturait le sens de la phrase. Ma grand-mère disait bien : « Pas une miette de cette terre qui soit [et non : *qui ne soit*] injuste », ce qui répondait au sentiment qu'elle avait de ses droits en son âme et conscience. Elle et son mari avaient reçu cette terre du gouvernement, en concession, avec la signature des autorités administratives du moment et du notaire. Pas le moindre doute. On ne voit pas non plus Meftah se demandant à qui appartient la ferme Paris, alors qu'il sait bien qu'il n'a pas de drapeau, que l'Algérie est à ceux qui l'occupent et la pillent, parce que Dieu l'a voulu ainsi. Alors que le *ne* de ma grand-mère exprime la conviction que cette terre est injuste, ce qui ne peut germer dans l'esprit de personne. A toutes les lectures et relectures du texte imprimé, le *ne* s'accroche comme un invisible insecte, que personne, loin de s'en offusquer, ne trouve curieux. Quand je m'en aperçois, c'est trop tard.

Le mal fait, tout rectificatif devenait inutile : il exigeait trop d'explications. Dans l'impossibilité où je me voyais de corriger ce que j'avais voulu dire, j'ai laissé les choses à l'appréciation et à l'interprétation de chacun. Il n'y en eut aucune, ce qui semblerait prouver que le lecteur a discerné le juste de l'injuste suivant son propre instinct ou ce qu'il a saisi de ma pensée, et ce serait faire injure à ma grand-mère d'insinuer qu'elle pouvait croire qu'une seule motte de terre de sa ferme ne lui appartenait pas. Dans l'esprit de tous les colons, il en était de même.

XXIV

Je ne suis pas très malin, on a déjà dû s'en apercevoir. On n'est pas malin dans l'armée quand on finit colonel, un titre encore modeste. Si de Gaulle n'avait été que colonel, les choses se seraient passées autrement. On l'a bien vu en 1871 pour Rossel.

Dans l'esprit de ceux qui m'appellent toujours « vieux colonel », je suis quelqu'un digne de respect, capable de commettre une action teintée de noblesse, d'originalité et peut-être de talent, mais qu'on ne peut attribuer qu'à un colonel. Et quand je jette un coup d'œil sur mon parcours, j'admets que, né où je suis né, élevé par les lazaristes parce qu'on n'avait pas les moyens de me mettre chez les jésuites, et dressé par les militaires, finir colonel n'est pas si mal, surtout quand les guerres traversées et les conflits intimes ont fait de vous un écrivain. Converti ensuite par Camus à la religion de la justice, je devins subversif. Et comme ce n'est pas la justice qui domine en ce monde, je n'ai peut-être pas très bien su toujours de quel côté aller, pas plus que je ne sais ce que je suis, mais je suis allé du bon côté, c'est-à-dire du mauvais, et me voilà, à près de quatre-vingt-dix ans, respirant mal et pas du tout solide sur mes guibolles, devant la tombe de ma mère en Algérie et en pleine guerre civile. Presque à l'endroit où elle est née, au milieu d'Arabes qu'elle n'aimait pas et que, pour ma part, j'ai défendus, ce dont je ne me repens pas, loin de là. Je les défends encore. Pour eux, j'ai même une vraie fraternité. Nous sommes nés de la même terre, mais pas du même père. Quant à leurs femmes, elles sont d'une grande noblesse, et le courage même.

Par ces réflexions qui ne datent pas d'aujourd'hui, on peut me juger d'un autre âge, d'un temps où certains hommes de caractère ne savaient pas composer avec l'adversité ni avec l'adversaire. Si l'on me demandait comment je me vois en société, je répondrais que je ne m'y vois pas, car la société m'intimide comme je l'intimide et parfois l'inquiète. Si on me demande encore comment on me classera, je répondrai que je me crois inclassable. Rares ont été les membres de ma famille flattés d'être de mes proches ou qui se soient réclamés de moi. Tout cela à cause d'un tempérament difficile et d'une rencontre qui a changé ma vie.

A la colonie, je naquis petit maître dans mes moelles et dans mes viscères. Etre le maître m'a toujours paru naturel. Si je ne l'ai pas senti davantage, c'est que les lazaristes m'ont séparé des Arabes. Au séminaire, parler de la question indigène était tabou. Sur un éperon voisin de Notre-Dame-d'Afrique, notre collège de Saint-Eugène aurait pu être à Rome ou en plein désert, les Arabes n'y apparaissaient pas. Encore moins leurs femmes, de toute façon interdites par les religions et les mentalités d'alors.

En outre, il ne faut jamais oublier le péché dont j'étais marqué puisqu'il était de naissance. Loin d'être honoré, le bâtard était, au début de ce siècle, craint et méprisé. De nos jours, l'opinion a évolué dans le bon sens ; si nombreux qu'on ne les compte plus, les illégitimes paraissent presque de droit. Les guerres ont eu cela de bon qu'on ne demandait jamais à quelqu'un s'il était légitime ou pas pour l'expédier au casse-pipe, ce qui m'a aidé à penser, avec Camus, que les Arabes, à l'époque bâtards aux yeux du monde civilisé, avaient droit à un statut d'hommes honorables. Dans ma rupture avec la colonisation, je dis tout bas à ma mère chérie qui, elle-même, a bravé plus d'un jugement : « Là, tu t'es trompée, mère chérie. » Les Arabes étaient aussi des bâtards aux yeux des pieds-noirs qui se considéraient, à tort, comme la fleur de la civilisation.

Je leur pardonne, aux pieds-noirs. Fleur des hommes, ils le furent un peu, sauf pour les Arabes : ils ont été la Méditerranée européenne, ils ont transformé une terre ingrate en paradis, ils l'ont arrosée de leur sueur, ils en ont fait l'eldorado qu'on leur avait promis pour les engager à venir, et les tromper. Accourus de partout, comme aspirés par l'aventure, déportés là parfois par les révolutions, et pauvres, ils ont trouvé, déjà là avant eux, plus pauvres qu'eux. Soudain propriétaires de ce que la France avait extorqué aux Arabes, ils se sont crus riches et chez eux. Pour eux, les Arabes étaient leurs serviteurs. Cependant, comme ils avaient du cœur, la colonisation fut peut-être moins insupportable en Algérie qu'ailleurs. Qu'avec la Grande-Bretagne par exemple, l'Allemagne ou la Hollande. Pas au point qu'on s'en accommodât quand, soi-même Arabe, on était humilié et souvent méprisé. Quel dommage !

Quel dommage que les miens aient été bernés et filoutés par leur orgueil, qu'ils aient toujours refusé de se plier aux lois de la République et qu'à Paris on leur ait presque toujours cédé. Quand, un siècle plus tard, ils se sont sentis menacés à leur tour, je ne reproche même pas à ceux d'entre eux qui étaient devenus milliardaires d'avoir laissé des gérants à leur place et de s'être réfugiés en Suisse ou sur la Côte d'Azur. Après tout, leur argent ils ne l'avaient pas volé, sinon, comme tous les riches, aux pauvres. Cependant, leurs domaines, même les modestes, n'auraient pas été perdus s'ils avaient su partager. Ce que je leur pardonne moins, c'est de ne pas s'être tous levés pour défendre ce qu'ils considéraient à la longue, je ne dirai pas comme leur bien, mais comme leur patrie. Les événements auraient pris une autre tournure, et je ne me le pardonne pas non plus, hélas. Car s'il y a un temps pour la raison, il y en a un autre pour la déraison, surtout quand on est disciple de Camus. Il y a un temps pour le prêchi-prêcha et un temps où l'on empoigne son fusil. L'immense majorité des pieds-noirs se sont précipités dans les ports vers les bateaux qui les vomissaient en France, cette marâtre. C'était l'été, heureusement. Il ne pleuvait pas. Les femmes et les enfants pleuraient, les hommes se déguisaient en porteurs de valises. Comment n'ai-je pas, comme chez beaucoup de jeunes gens, laissé monter en moi et m'envahir l'amour pour la terre qui m'a vu naître, pour le tombeau de ma mère et des miens ? Comment, perçant la foule des fuyards, ne me suis-je pas engagé dans les commandos de l'OAS ?

Parce que je me souvenais de cette brochure intitulée *Tous Algériens*, que le FLN avait répandue à profusion, où il suppliait les pieds-noirs de rester, avec des promesses de droits qui n'auraient peut-être pas été tenues, la double nationalité par exemple, et justice pour tous ? Parce que Alger était déjà une ville pleine de sang, souillée, puante et dévastée ? De quelque côté qu'on se tournât, on en revenait à la note de Tocqueville que Pierre Nora a placée en épigraphe de son livre *Les Français d'Algérie* : « Et moi, écoutant tristement toutes ces choses, je me demandais quel pouvait être l'avenir d'un pays livré à de pareils hommes, et où aboutissait enfin cette cascade de violences et d'injustices, sinon à la révolte des indigènes et à la ruine des Européens. »

XXV

A Paris, comme toute la gauche, comme Robert Barrat, Paul Teitgen, Jean Daniel, Jean Lacouture, Roger Stéphane, Julien Besançon et Claude Terrien, Vincent Monteil et tant d'autres amis indomptables et lucides, plus ardents que moi et qui me stimulaient quand j'étais tenté de fléchir, je trouvais parfois des lettres de menace sous mon paillasson. C'était l'OAS-métropole, parce que nous luttions pour une République algérienne où les pieds-noirs auraient toutes garanties concernant leurs biens, leurs personnes et leur avenir. J'y croyais, moi, un néophyte, je voulais y croire au nom de la justice, j'essayais d'oublier que l'instigateur de ces promesses, dans le document *Tous Algériens* distribué par le FLN, avait été zigouillé. A la fédération de Camus, personne n'y croyait non plus. Quant à l'armée qui décidait jadis de la pluie et du beau temps, elle se retrouvait sous le képi du général de Gaulle qu'elle avait ramené au pouvoir et qui ne la ménageait plus. Par étapes sournoises d'une suprême habileté, il la conduisait à l'abandon de la casserole coloniale. Les déserts lui avaient facilité l'essai de sa bombe atomique ; quant au pétrole découvert, il le laissait à l'Algérie comme cadeau de rupture. L'armée déchirée ne ressemblait plus à celle qui avait encaissé Diên Biên Phu et juré qu'elle ne subirait plus de défaite. Elle se voyait contrainte à des concessions, à la paix des braves, puis, quand les mots passèrent dans le langage diplomatique, à ce terme inconcevable jusqu'alors, à l'épouvantail de République algérienne. Personne ne croyait plus à rien, les pieds-noirs s'enfuyaient en masse. Ils se voyaient submergés par le nombre qui t'effrayait tant, mère chérie, détroussés par ceux qu'on appelait alors « Français musulmans », puis fellagha, felouzes ou salopards, qui s'appropriaient villes et campagnes, égorgeaient les hommes et violaient les femmes.

Je rassurais comme je pouvais Louise et René qui blindaient leurs fenêtres chaque soir avec des plaques de cuisinière pour se protéger d'un tir de terroriste. « Nous sommes abandonnés », répétait Louise. Ce n'était pas l'armée qui les sauvegardait, mais mes articles de *L'Express* ; ils étaient le frère et la sœur d'un fidèle tenté par le schisme. Ils n'avaient pas pensé comme lui à propos des Arabes. On aurait pu s'entendre avec eux, la terre natale était à ceux qui y étaient nés. La preuve : pendant l'exode des pieds-noirs, les

Arabes avaient été leurs protecteurs. Cependant, Louise n'était pas convaincue qu'on se soit montré injustes. Elle ne se voyait pas non plus disant « monsieur » ou « madame » à un indigène ou une fatma. Elle m'écoutait en silence et soudain éclatait en sanglots. La terre natale, ce sont les femmes. C'est toujours toi, ma mère chérie. Qui trahit sa terre, trahit sa mère. Je t'ai trahie, mère chérie. Camus philosophe du vrai et du faux avait raison. Il n'était plus, mais je l'écoutais disserter savamment du problème, de la tragédie, avec la gourmandise secrète d'un professeur en chaire. Et aussi du vrai et du moins vrai, du sûr et du moins sûr, des apparences et de la réalité, de ce qu'il fallait faire ou pas avec les Arabes, de ce qu'on leur avait pris et de ce qu'on devait leur rendre, du temps pour tout, du crépuscule où l'on n'était certain de rien, du jour, et encore moins de la nuit. La fédération, c'était encore une cote mal taillée. On s'en allait sans partir tout à fait.

Assis sur un banc au fond de la classe, je me répétais ses questions, ses propres problèmes, je me demandais si j'étais digne de lui, le maître éminent, je ne savais pas jouer avec les mots et les idées, les retourner au besoin, flotter, voguer, errer comme lui, je m'y perdais. En plus, je me croyais coupable parce que ma mère chérie, ma mère à moi, savait lire alors que la sienne, espagnole de naissance, était illettrée, et surtout parce qu'elle vivait, alors que la mienne était là où tu es.

D'oser dire que l'Algérie devait être rendue aux Arabes, j'avais honte parfois. Aux yeux des miens, j'allais passer pour un traître, et c'est pourquoi, à deux reprises, je suis venu au cimetière te demander pardon, ma mère chérie, toi du ventre de qui j'étais sorti, toi qui avais tant souffert à cause de moi, toi qui allais peut-être te repentir de m'avoir mis au monde, toi qu'on viendrait peut-être insulter à cause de moi. Et sais-tu qui j'entendais crier du fond du tombeau disjoint, quand je venais ici ? L'oncle Jules, qui t'y avait précédée. Ton frère Jules que j'aimais tant, que je ne quittais jamais, enfant, qui m'avait tenu sur les fonts baptismaux à Rovigo, la veille du jour où le gendarme nous avait flanqués hors de chez lui. D'une voix de plus en plus forte, en arabe, il appelait Meftah qui n'était jamais là quand on avait besoin de lui. *Ya Meftah ô ô ô*... Comme s'il avait perdu la clé de tout, comme si Meftah était la vérité, comme s'il n'attendait que Meftah pour entrer enfin dans la maison. *Ya Meftah ô ô ô*...

A Louise et à René je tenais des discours gaullistes qui ne les rassuraient pas. Seuls pieds-noirs de leur village à être restés chez eux, personne ne les avait inquiétés, c'est eux qui s'inquiétaient. Avec leurs voisins, tous algériens, on se parlait, on se saluait mais ce n'était plus comme avant : le médecin était parti, le pharmacien aussi. En cas de maladie, que devenait-on ?

Un jour du début de l'indépendance, je

repris la route des Eucalyptus. Seul, sans gendarmes, on allait encore où on voulait. Les fermes désertées étaient occupées par des Arabes qui fumaient, palabraient et attendaient d'apprendre par leurs « autorités » à qui appartenaient les terres des colons, et qui devrait s'en occuper. J'allai jusqu'au chemin de galets qui menait jusque chez ma grand-mère et l'oncle Jules, là où ma mère et moi avions vécu cinq ans. Avant de m'aventurer plus loin, j'hésitai. Je m'arrêtai. Puis, subitement, je fis demi-tour et gagnai Sidi-Moussa. Le nouveau maire, chef de la communauté des travailleurs populaires et démocratiques, me reçut courtoisement, mais comme s'il avait sur l'estomac quelque chose qui ne passait pas. Et là, au cimetière, dont je m'étonnai qu'on fermât désormais l'entrée avec un cadenas, je vis que tout avait été retourné comme après un bombardement. On avait éventré les tombeaux, défoncé certaines chapelles, abattu toutes les croix et répandu des cercueils. Ces fumiers avaient dû croire que les femmes des colons étaient couvertes d'or.

« Et vous n'avez pas réagi ? » reprend vivement mon compagnon qui pose sa caméra. « Ils avaient vraiment profané les tombes ?

— Sorti quelques cercueils de leur tombeau, dont celui de ma mère, m'a-t-on dit. A mon passage, tout était remis en place. »

Le visage de mon compagnon se crispe. J'ajoute :

« C'était au moment de ce qu'ils appellent leur

libération. Il y avait encore un commissaire aux Affaires algériennes à Rocher-Noir, et, à son cabinet, un colonel que j'estimais hautement ; le gouvernement français avait un représentant qui devait signer les accords d'un jour à l'autre. En juin 1962, je crois. »

En effet, pourquoi n'avais-je pas protesté ? Pourquoi n'avais-je pas demandé aux dernières autorités de Rocher-Noir d'envoyer un escadron de gendarmes à Sidi-Moussa pour montrer qu'on était encore là et qu'on saurait faire respecter nos morts ? Les gendarmes avaient trop à s'occuper des vivants, mon intervention aurait été jugée inutile puisqu'il s'agissait de la bêtise humaine, et qu'il aurait fallu, bien plus tôt, tous se conduire avec dignité.

A présent, le FIS nous hait parce que nous avons semé la mécréance et que la mauvaise graine a levé. Et surtout, nous avons perdu.

« Etiez-vous encore à Alger vous-même, dis-je à mon compagnon, prêt à vous opposer à la forfaiture ? C'est bien le terme dont on se servait ? La forfaiture du gouvernement français.

— Oui, dit-il. Y en a-t-il un autre, de terme ? »

Je n'insiste pas. Mon compagnon avait vingt ans à l'époque. Il était encore plus massif, plus musclé et plus déterminé qu'aujourd'hui pour se dévouer à une cause qui lui paraissait noble, désintéressée et destinée à conserver l'Algérie à la France, à condition que ce ne soit pas l'OAS.

« Et qu'avez-vous fait ? » me demande-t-il avec sévérité.

XXVI

Certains dans l'armée pensaient : « On a perdu l'Empire. » Comme si Napoléon était toujours là, comme si Bugeaud commandait toujours les troupes françaises d'Algérie, comme si le général Savary, duc de Rovigo, rentrait chaque soir à Alger, des têtes d'Arabes piquées au bout des lances de son escorte. Comment n'aurais-je pu être tenté par l'OAS, justement à cause du nom du village où je suis né, qui portait le nom de Rovigo ? Je m'étais aussi posé la question de Ferhat Abbas, interrogeant les morts dans les cimetières musulmans pour entendre une voix lui dire qu'il avait une patrie, et n'entendant personne lui répondre. Mieux encore : dans son argumentation pour une fédération avec la France, il avait osé dire : « La France, c'est moi. » Lui, un Kabyle, fils de caïd ! Par la patience, la ruse et avec l'aide de mon très cher ami, Jean Amrouche, inspirateur occulte du général de Gaulle, qui connaissait mieux que moi la langue française et l'histoire de France, oui, Amrouche et Ferhat Abbas, c'était aussi la France ! Devenu président de ce qu'on appelait pompeusement le Gouvernement provisoire de la République algérienne (le GPRA), Ferhat Abbas ne désirait rien de plus qu'une fédération avec la France. Kateb Yacine non plus, et Camus, à la fin. Il a fallu le Général et un référendum du peuple français pour vider l'Algérie de ses anciens colonisateurs. Pauvre mère chérie, te voilà seule avec ton père, ta mère et ton frère Jules, mon oncle, et nous voilà tous, comme beaucoup, avec une terre natale et sans autre patrie qu'en esprit, *in spiritu*, et je ne peux venir me recueillir sur ta tombe qu'avec la protection des Arabes. Les roses que j'ai déposées là, je ne les dédie pas seulement à toi, qui n'aurais pas manqué de sympathie pour l'OAS parce que, quand les chacals rôdaient à travers la plaine pendant la nuit et s'approchaient de la ferme, tu décrochais le mauser, entrouvrais une fenêtre et, si tu apercevais des ombres à travers les persiennes, tu tirais. Le lendemain on trouvait une chéchia percée sous les noyers. Maintenant ce n'est plus une chéchia qu'on ramasserait, ils n'en portent plus. Ils portent des bonnets d'infirmier, des *araguía*.

Eh bien, plus de trente ans après, m'y revoilà, au cimetière de Sidi-Moussa. Autour de moi, personne ne dit mot. Mon compagnon, impassible, asticote toujours sa japonaise. La lumière est moins mauvaise, la brume se lève. Les policiers en civil et les gendarmes me regardent, un peu défait, respirant avec peine, tenant en main l'autre bouquet de roses qu'en fin de compte je dédierai à tous ceux qui, dans un camp ou dans l'autre, sont morts d'amour pour cette terre. A ceux qui sont poussière, comme les miens, comme à ceux qui ont été abattus dans une guerre entre amoureux de la même femme, et qui ont de la terre plein la bouche, et plein la bouche un peu de salive du baiser de cette femme.

Où était le juste et où était l'injuste ? J'ai agi comme j'ai cru. Au mieux de qui a mis en moi le battement d'un cœur qui cogne pour des causes romantiques. Je suis comme j'ai dit. L'injustice politique a fait de moi un subversif, ce que Camus n'était qu'en idée. Je ne suis jamais resté du côté de ceux qui grillaient les Indigènes au napalm, ni du côté de ceux qui coupent les couilles de ceux qu'ils appellent des traîtres. En Indochine, il y avait sur chaque base aérienne, loin de tout, des pagodes réservées à ces messieurs du renseignement et un bâtiment d'où s'échappaient, la nuit, des hurlements. Ici, c'étaient des villas sur les hauts d'Alger, pas très loin du Saint-George, et des hélicoptères d'où l'on jetait les suspects à la mer pour engraisser les crevettes. Camus n'a pas vu ce que j'ai vu. Il a aimé sa vieille mère mieux que j'ai aimé la mienne morte. Prix Nobel, il a meublé l'esprit d'officiers qui rêvaient de construire une Algérie proche de celle dont il parlait. On le citait avec respect, même dans certains rangs de l'OAS. On l'aurait volontiers pris comme modèle. Et j'ai envie de dire à mon compagnon qui me demande ce que j'ai fait en ce temps-là : « Vous me voyez, si forte qu'ait été la tentation, vous me voyez cédant aux invites déguisées de ces messieurs, machinant des attentats contre de Gaulle, travaillant à établir Salan au pouvoir, ou Bigeard, qui sait ? Vous me voyez serrant la patte à des légionnaires allemands qui auraient passé les habitants de la Casbah à la mitraillette parce qu'un terroriste avait fait sauter le Milk-Bar, un nom qui ne dira rien à ceux qui sont nés il y a seulement trente ou quarante ans, mais qui a du prix pour beaucoup d'autres ? Si nuancé qu'ait été mon attachement à l'armée, cette grande chose que l'on meut et qui tue, selon Vigny, vous me voyez désertant ? Vous me voyez travaillant à l'écrasement du mouvement en faveur de l'indépendance, alors que je sais comment nous nous sommes conduits en Algérie ? Vous me voyez participant à tous les crimes dont l'OAS fut coupable, tuant sans discernement les Arabes, les humbles en masse, simplement parce qu'ils n'étaient pas du bon côté et parce que l'Algérie devait rester française ? Vous me voyez faisant tout sauter à Alger, dans la nuit du 14 au 15 mars 1962 ? Vous me voyez, à l'aube du 15 mars, tuant partout, et, plus tard dans la matinée, collant six fonctionnaires de l'Education contre le mur et les abattant au fusil-mitrailleur ? Vous me voyez ordonnant qu'on descende ce "sale bicot", de Mouloud Feraoun, l'auteur admirable du *Fils du pauvre*, notre ami à tous ? On ne défend pas sa mère comme ça. Tu étais morte, ma mère chérie, *ya yemma*. Tu ne craignais plus rien. Je n'avais plus personne à ménager. La mère d'Amrouche aussi était morte, Amrouche était marié à une enseignante française. Sa sœur Taos chantait les poèmes berbères de l'immémorial d'une voix qui semblait jaillir des montagnes. Et lui, Amrouche, proclamait : "La France est l'esprit de mon âme. L'Algérie est l'âme de mon esprit." Et pourtant, j'ai écrit au général de Gaulle pour lui demander la grâce de Jouhaud, qui devait être fusillé dans les fossés de Vincennes. »

Je serre sur mon cœur la grappe que j'ai arrachée au glorieux parasol au-dessus de toi, ma mère chérie, un dais de soie.

XXVII

J'aurais pu dire une fois de plus à mon compagnon que, ce jour fatal, j'étais parti sans un mot, que j'avais tourné le dos à cette horreur, à ce qui restait des miens ou même de toi, ma mère chérie. J'avais déjà prié pour toi. Je me tus.

En réalité je n'avais su que faire, qui alerter, c'était la désolation. Je me dis qu'on avait vu pire pendant la conquête quand un cimetière arabe se trouvait sur le tracé d'une de nos routes. On n'allait pas se remettre à tuer des vivants pour venger des morts, ce que font d'habitude les sauvages. Le village était vide, toutes les portes et fenêtres des maisons étaient bouclées. Je suppose qu'au moment du Jugement dernier il en sera de même.

Cela, je l'ai raconté à la fin des *Chevaux du soleil*, et, comme pour rendre justice aux miens, j'écrivis que je recevais là, on ne sut jamais de qui, un coup de feu qui me foudroya. Je dis à mon compagnon que j'étais remonté dans ma voiture et que j'avais repris la route des Eucalyptus, déserte elle aussi, sans une âme, sans un Arabe, sans personne sinon, de temps à autre, un petit groupe en armes de pseudo-militaires dont il valait mieux ne pas s'approcher.

« On n'allait pas recommencer la guerre », dis-je à mon compagnon. Et comme il me regarde, indigné, j'ai l'impression d'être soudain tombé bien bas dans sa considération.

Ce fut mon frère René le plus atteint, lui qui m'emmenait jadis sur son vélo à Sidi-Moussa et qui appelait gentiment les Arabes « troncs de figuier ». Chez moi, en Bourgogne, il restait des jours entiers assis sans dire un mot, les yeux perdus. Il s'en alla, sept ans plus tard, à Argelès-sur-Mer, au soleil. Louise lui survécut quelques années.

La ferme n'existe plus, le cimetière est le seul lieu, en quel état ! où je peux te rencontrer, mère chérie, et reconnaître ce qui a été. J'espérais aller à Rovigo, je pensais voir la petite église où j'ai été baptisé le jour de Noël 1907, et la fontaine où le garde champêtre rassemblait à son coup de trompe les troupeaux pour les emmener paître. Il paraît que ce n'est pas possible, que c'est trop dangereux. « Allez, ouste ! dis-je à mon compagnon et à la sécurité, on s'en va ! »

Je prends un air résolu. Je me traîne dans le cimetière en sens inverse. Raide, comme je peux, je traverse de nouveau le stade, et, presque joyeux, avant de m'asseoir à ma place dans la limousine des Affaires étrangères du gouvernement algérien, comme Mustapha, mon protecteur en chef, m'ouvre les bras, moi aussi je lui donne deux petits baisers, un sur chaque joue. J'aurais pas dû ? Et, laissant sur place les half-tracks et l'automitrailleuse, nous repartons sur la route des Eucalyptus. Dare-dare.

Adieu ma mère, adieu mon cœur.

XXVIII

Là, de nouveau et tout d'un coup, je reviens à la réalité : la corrida ! Une ruée, un rush d'enfer, une bataille effrénée entre bagnoles, fourgonnettes, camions et rares piétons épouvantés qui se jettent dans les fossés. La route est étroite, entre une double haie de bâtiments inachevés, à étages parfois, sur piliers noircis, où parfois se loge une façade en bon état mais comme abandonnée, ainsi peut-on dire de la route des Eucalyptus ce qu'on me rapporte de toutes les routes de la plaine. Pour nous, un steeple-chase de spectres.

Inconscient, et un peu inquiet derrière Mustapha, mon protecteur, soulagé que tout se soit bien passé, et à côté de mon compagnon serrant amoureusement sa japonaise sur ses genoux, je pense : mourir en Algérie, vieillard décati, obsédé de porter des roses à sa mère, passe encore ! Quand cela devient excentricité et mépris des conseilleurs, on peut confondre la hardiesse et la bravoure ; mourir ici d'un accident de voiture, c'est verser dans la stupidité, à moins que ce ne soit bénédiction spéciale du destin.

Nous nous précipitons vers le carrefour : trois eucalyptus aux longues feuilles lasses, le cheval L'Arbi attelé au deux-roues de la ferme. Meftah pour conducteur et mon père, l'instituteur à grosse moustache. Je me souviens qu'il y avait autrefois des silos, tout a été balayé depuis des siècles par le vent de la mer et l'enrouement nasillard des talkies-walkies. D'ailleurs pourquoi conserver des silos quand on n'a rien à mettre dedans ?

Je me tiens comme je peux, l'air digne et indifférent de qui sait qu'il n'échappera pas à son sort. Tout de même ! Mustapha me considère comme un homme pour qui on a mobilisé trois voitures de police et une brigade de gendarmerie. Je suis comme on voit, assez content de moi quand on me juge inquiet, cachant mon inquiétude quand on me croit indifférent. En vérité, j'aurais encore mieux aimé mourir là, si bêtement que ce fût, sur une des voies sacrées de ma terre natale, que dans un lit d'hôpital. Je guette le moment où, comme aveuglé par les escarbilles du petit train, là où autrefois on pouvait voir les vignes, des orangers, des fermes aux toits roses, j'apercevrai les trois eucalyptus. Rien que des poteaux indicateurs de voirie tandis que la caravane sinistre des voitures ralentit, et que chacun, au carrefour, choisit la direction qu'il juge bonne, vers Maison-Blanche ou vers L'Arba, où je souhaite encore aller imaginer comment ma mère a pu vivre un an à la gendarmerie avec son premier mari, là où mon oncle Hippolyte a été boucher, là où le FIS a établi un bastion de carcasses brûlées derrière quoi se hérisse le champ de bataille du GIA, selon le jugement populaire, où les kala, comme on dit des kalachnikov, descendent toute âme qui vit.

Mektoub, me dis-je sottement en moi-même. Et j'en fais mon deuil.

XXIX

Si l'on consulte une carte, par exemple le plan directeur au cinquante millième levé peu de temps avant l'indépendance, et dont, je ne sais pourquoi, je ne me suis jamais séparé, et si l'on y cherche le carrefour de routes appelé « Les Eucalyptus », on remarque d'abord que ce carrefour forme le centre d'une étoile à cinq branches. La branche nord-ouest se dirige vers Maison-Carrée, la branche nord-est vers Maison-Blanche, la branche sud-est vers Rivet, la branche sud vers L'Arba et, enfin, la branche sud-ouest vers Sidi-Moussa d'où nous sommes sortis, louange à Dieu. Il ne manque qu'une branche ouest pour qu'il forme une parfaite étoile juive à six branches. Plate comme la main, seulement striée de seguias d'irrigation, l'étendue est déjà mangée par la lèpre des datchas qui commence à Baraki, là où dans mon enfance s'abritait et évoluait un petit dirigeable, qu'on admirait bouche bée quand il appareillait.

Comment s'y retrouver maintenant ? Chaque jour à Baraki, à Rovigo-Bougara, à L'Arba, à Sidi-Moussa où nous étions, une auto piégée éclate, un commando débarque d'une camionnette et tue. Dix-sept morts par jour, ou douze morts et cinquante blessés, on ne les compte plus. Plus de mosquée, plus de fontaine du temps des Français, plus de route, plus rien. Pour nous, des cimetières. Pour les Arabes, des tombes. Et malgré qu'ils aient maintenant un président élu au suffrage universel, cela continue de plus belle.

Ce qu'on appelait « Les Eucalyptus », dans mon enfance, était un bouquet d'eucalyptus et une station du chemin de fer à voie étroite qui reliait alors la place du Gouvernement d'Alger à quelques villages de l'Est, du Sud et de l'Ouest — les CFRA, chemins de fer sur route d'Algérie. Les gens disaient les « Céféra ». Au lieu-dit des Eucalyptus, il y avait une simple pancarte métallique sur un support, le train s'arrêtait là. Le jeudi, du train du matin, vers neuf heures, l'instituteur de Rovigo descendait, avec parfois un Arabe ou deux.

Je revois cette halte des Eucalyptus : les trois arbres que le vent de la mer brasse et brosse, la terre brûlée par les escarbilles de la locomotive, j'entends le coup de sifflet du mécanicien quand le train arrive, le halètement de la machine à vapeur. Meftah est là avec son chapeau kabyle qui lui pend derrière le dos. Comme il ne veut pas attacher le cheval au soleil, il s'est arrêté sous l'ombre tremblante des arbres. Curieux comme une pie, s'il s'écoutait il descendrait du deux-roues pour savoir plus tôt si l'instituteur est là, et il a un geste familier dès qu'il l'aperçoit.

L'instituteur de Rovigo, mon père, grimpait sur le deux-roues dont les ressorts pliaient. C'était un homme de plus de quarante ans, un costaud mal équarri, né aux confins de la Champagne pouilleuse, non loin de Colombey-les-Deux-Eglises. Il avait le visage rond, une moustache vaguement rousse et était habillé comme en France, même en été, d'un complet de drap gris fatigué. Comme bagage, un sac de curé, en cuir. Sur son crâne déjà déplumé, un melon en hiver ou, en été, un panama avachi. Touchait-il la main de Meftah, ce tas de chiffons ? Pas sûr. « Bonjour, *salam* », un mot arabe qu'il connaissait. Meftah souriait et, une fois l'instituteur assis, sa valoche à ses pieds, agitait les guides. L'Arbi démarrait avec une secousse en même temps que le train : corne du chef de train, coup de sifflet du mécanicien, lâcher de vapeur de la locomotive à charbon, qui tirait deux ou trois wagons de voyageurs rouge foncé et à plate-forme ; parfois un wagon plat surmonté d'une loge pour serre-freins. Le vent couchait vite la fumée. L'instituteur ne se poussait pas contre Meftah. On a beau enseigner les droits de l'homme et du citoyen à une racaille multinationale, on se méfie des Arabes, surtout des miteux. Les cahots de la route suffisaient bien pour qu'on se touche. Pas de conversation non plus. Peut-être, ce jour-là, y aura-t-il du nouveau ? Il a un très vague espoir, Meftah. Que ses enfants un jour aillent à l'école de cet homme. Soudain en confiance, il a un geste vers l'horizon. Mon père croit qu'il désigne les terres, là-bas, comme si tout appartenait aux Paris. Le vent souffle de la mer, Meftah secoue les guides et sourit.

Mon père se tait.

Où est-il, Meftah ? Où est-il, le cher, le bon Meftah qui m'aimait tant ? Pas loin d'ici sans doute, à quelques kilomètres, par l'autre route où il n'y a plus d'eucalyptus du tout. Il suffit de tourner à gauche, vers le nord, dans un chemin mal entretenu, mais qu'y a-t-il d'entretenu à présent ? Des femmes, aurait dit Meftah en souriant, et je n'aurais pas compris. A vingt minutes de marche, mais qui marche à pied à présent ? vous vous trouvez dans une zone où il y a encore des maisons, des bicoques inachevées, mais aussi ce qui survit des cultures d'autrefois, des lambeaux de vignes qui n'ont pas été arrachées, de la terre où autrefois poussaient l'orge et le blé qu'on moissonnait, et dont le sol noir garde encore quelques fibres. A un kilomètre, un groupe de cabanes, qui n'existaient pas, étouffe une construction ancienne qui date de la colonisation et s'appelle encore Café Maure, on se demande pourquoi, en ce lieu, en cette plaine. Meftah doit reposer par là, un peu au nord ou un peu à l'est, dans un cimetière si humble que les cartographes n'ont pas jugé digne de l'indiquer par le signe convenu : de minuscules croissants. Comme à Cassino (Italie) en grand, comme du côté de Mulhouse (France) aussi.

Sur un relevé aérien de 1957 et d'après une vieille cartographie, comment, dans cet espace de terrains vagues devenu presque une banlieue d'Alger, reconnaître une tombe musulmane ? Meftah ne demandait rien de son vivant. Alors une fois quitté la vie ? D'ailleurs, quand est-il mort ? Qui m'en a jamais parlé ? Est-ce qu'il comptait ? Ma mère n'aimait toujours pas me voir revenir des vignes avec l'oncle Jules et sur les épaules de Meftah. Elle grondait de nouveau son frère. « Comment laisses-tu Meftah prendre Zizi sur son dos ?... » Je ne craignais ni les poux de Meftah ni ses vêtements déchirés. Ce doit être cela qui m'a doté d'un peu de perspicacité. Est-ce que je me serais rangé du côté des bâtards de la colonisation française si j'avais été un riche possesseur de vignobles ou si, comme les caïds et les bachagas, j'avais fait suer le burnous ? Par bonheur, je suis le petit-fils de Marie Bouychou née à Montségur dans l'Ariège, et le neveu de l'oncle Jules né à Sidi-Moussa après ma mère. Les gens du douar accusaient encore Meftah d'être pourri par l'argent. Pauvre Meftah en loques, même pas avec une gandoura convenable ! Pourri par l'argent, il aurait bien voulu l'être. Personne ne l'était chez nous. Peut-être est-il mort après ma grand-mère ? Peut-être ma mère me l'a-t-elle caché ? Chez les lazaristes, je devais être au-dessus de ce que l'on considérait comme de petits événements. Peut-être me l'a-t-elle dit et n'ai-je pas, sur le moment, prêté attention à la mort d'un Arabe, et comment un Arabe, même du nom mythique de Meftah, aurait-il pu laisser des traces dans mon cœur ? Il n'était pas le seul à s'appeler Meftah. D'ailleurs, était-ce son patronyme ou son autre nom ? Je ne l'ai jamais su. Peu importe. Meftah, ça veut dire : la clé. La clé de tout. Plus tard, plus tard, il comptera pour moi. Il ouvrira ce qui était fermé.

Il est enterré par là, Meftah.

On a peut-être lu sur son corps la sourate 36 *Ya Sin* du Coran. Il a peut-être entendu le verset 78 :

Qui donc fera revivre les ossements
alors qu'ils sont poussière ?
Celui qui les a créés une première fois...

XXX

Parfois c'était l'oncle Jules qui venait aux Eucalyptus parce qu'il avait quelque chose à dire ou à apprendre. Ce n'était pas encore entre mon père et lui une franche sympathie, mais des coups d'œil gaillards en souvenir du gendarme, du respect pour l'instituteur et une certaine complicité masculine en des circonstances délicates. Pour l'oncle Jules, l'instituteur était bourré d'illusions sur le pays, sur les Arabes et les colons. C'était un enseignant laïc, républicain, assez porté sur le sexe, à qui il ne fallait pas ouvrir trop vite la famille. Enfant chéri des deux, je sentais l'instituteur un peu jaloux de l'oncle Jules.

L'oncle Jules riait beaucoup et taquinait l'instituteur. Quel temps fait-il à Rovigo ? Alors que Rovigo n'est qu'à sept kilomètres de Sidi-Moussa. Comment se débrouille-t-il pour ses repas ? Il lui parle des gens qu'il connaît et de l'oncle Désiré installé à Rovigo, marié aussi à une fille du charpentier de Sidi-Moussa, ils ont déjà quatre enfants, rien que des filles, le garçon est mort très vite. « Oui, oui... », dit l'instituteur pour éviter de répondre aux questions indiscrètes, puis il ajoute : « Quelle immensité, cette plaine... »

L'oncle Jules reste dans ses pensées et montre d'un coup de menton les collines du Sahel derrière lesquelles il y a Alger. « Vous croyez ? » Cela dépend de la vue qu'on a, du vent qui souffle, de la saison, avant ou après les moissons ou les vendanges. Les terres qui appartiennent encore aux Arabes des douars sont mal entretenues, l'oncle Jules les guigne car il voudrait les acheter le moins cher possible pour y planter de la vigne, seule chose qui rapporte. Certains colons vendent la récolte sur pied, d'autres font les vendanges et vendent le vin en tonneau au meilleur prix. « Oui, oui... », grommelle l'instituteur.

On a quitté la route de Sidi-Moussa pour un chemin de traverse. L'oncle Jules respire fort, on dirait qu'il aspire toute la plaine, qu'il va la dévorer et la voudrait à lui. Il n'a pas eu le temps de se raser, un poil blond luit sur ses joues, de temps en temps il claque de la langue pour exciter le cheval, le deux-roues saute dans les ornières, l'instituteur pense à l'odeur de géranium rosat qui commence à flotter sur Rovigo et aussitôt à ma mère, à Mathilde, car le soir de nuit noire où elle a osé venir chez lui pour la première fois, le village embaumait. N'est-ce pas le parfum des géraniums rosat qui est responsable de leur faiblesse à tous les deux ? L'instituteur n'a pas résisté à cette bouffée du ciel, il a été grisé, il a titubé, il était fou. Cependant il n'ose pas parler de ma mère à l'oncle Jules, c'est de moi qu'il parle. Je suis encore si petit quand il descend du train des Eucalyptus. Il dit qu'il va bientôt être muté à la direction d'école de Staouéli. « Ah, fait l'oncle Jules.

— Oui, répond très vite l'instituteur pour cacher son trouble, c'est de l'avancement. »

Il demande seulement des nouvelles de ma santé et de la santé de Mathilde. Il lui semble que le regard sévère que ma grand-mère portait sur lui s'est adouci, mais il y devine l'inquiétude d'une mère pour sa fille qui ne veut plus retourner à Rovigo.

« C'est bien là qu'on a débarqué en 1830, à Staouéli ? demande l'oncle Jules. A côté de Sidi-Ferruch ?

— Oui, il y a eu une grande bataille trois jours après. Les Turcs ont été vaincus.

— Et les Arabes ?

— Les Arabes aussi, dit l'instituteur. Mais c'est les Turcs qui commandaient, en ce temps-là. »

En lui-même, l'oncle Jules pense que les Arabes sont toujours soumis. Avant les Turcs, les Romains, après les Turcs, les Français. C'est leur destin. Mon père dit que le seul élève arabe qu'il ait dans sa classe lui a donné un oiseau apprivoisé, un choucas. « Ah ! fait l'oncle Jules.

Un choucas, c'est de la famille des corbeaux. Méfiez-vous quand même. Quoique... On ne sait jamais. »

Mon père sourit, il croit qu'il va à la rencontre du bonheur. Le choucas est un bel oiseau à collerette de soie bleu de nuit et à l'œil d'or. Très intelligent. Et qui parle.

XXXI

Nous, à peine quitté le cimetière de Sidi-Moussa, nous ne ralentissons pas, et même, avec une arrogance que j'apprécie, nous accélérons. La voiture pilote déclenche sa sirène et son phare tournant. Le buste hors du véhicule, le *ninja* gesticule, menace, stoppe les gens d'en face, bouscule ceux des côtés, allez, allez, hors de là ! Nous, les princes, nous nous jetons à gauche, semant l'effroi et la terreur devant et derrière nous. Quelques rafales pour intimider ne sont pas de trop. Devant nous se brouillent, dans une brillance de brume, les collines du Sahel où le FIS fait en abondance couler le sang de ceux qui ne lui plaisent pas. Comme la largeur des chaussées n'a pas augmenté depuis L'Arbi et mon oncle Jules, les bagnoles ressemblent à une écailleuse mécanique reptilienne que nous éventrons. A notre droite, vers l'est, on bute sur la masse du Bou-Zegza, la porte de Kabylie. Nous filons de l'autre côté des collines, vers Alger, la grande Babylone, la grande prostituée. Parfois, entre nous, se loge comme elle peut une charrette des temps anciens, une guimbarde aux roues mal assurées sur ses essieux, qui freine la procession hystérique. Venu de la montagne, un inconscient, peut-être un indicateur, peut-être un vieux paysan ou un Arabe tranquille, à moins que ce ne soit l'ombre de Meftah avec son cheval, une haridelle aux membres flottants, disloque l'enfilade jusqu'à l'embouteillage. Plein de fureur, notre *ninja* vomit des malédictions et nous nous enfournons derrière lui.

Ainsi finissons-nous par retrouver notre palace El-Djezaïr, l'ancien Saint-George. Autrefois, assis devant chez eux pour jouir du spectacle, les Algériens des faubourgs regardaient passer les autos en fumant des cigarettes. Aujourd'hui, on dirait qu'ils sont atteints de la bougeotte, ils roulent tous pour le simple plaisir d'échapper à un endroit ou un autre, et calculent le moment où il ne faut plus être sur ce qu'ils appellent l'autoroute pour se dérober au FIS qui arrête, tend la sébile, brûle les voitures et, si vous élevez la voix, vous zigouille. Ils ont l'air de se soumettre. Que peuvent-ils faire d'autre ?

Et si c'était l'ombre, non pas de Meftah, mais de celle d'un de ses fils ou petits-fils qui aurait vécu comme on imagine pendant la guerre d'Algérie, aurait quitté la ferme sans indemnités ? Est-ce qu'il y avait des indemnités pour les ouvriers agricoles en 1960, surtout quand une ferme était vendue à un Arabe ? Les colons pensaient : « Ils se débrouilleront entre eux. Ils ont assez profité... » Là, à cette idée, dans la bagnole, serré contre mon compagnon solide et vigilant, je me laisse aller à une franche rigolade. J'aime ma mère, j'aime mon frère René, ma belle-sœur Louise, tous les miens et les pieds-noirs victimes. Mais entendre dire par les colons que les Arabes ont profité de la colonisation ! Dans un sens, oui. Sans l'arrivée en trombe des armées du roi Charles X, sans la conquête d'Alger avec tambours et trompettes, sans la prise de Blida, puis de Constantine, puis de la Kabylie, puis de l'Oranie, puis des oasis par des généraux du type Saint-Arnaud et des maréchaux du type Bugeaud, Randon et Pélissier, avec sapeurs pour scier les cerisiers et enfumer des grottes, et beaux militaires pour sabrer à tour de bras et baiser les mouquères, les salauds ! l'Algérie n'aurait pas été conquise. Et chaque fois, c'est vrai, il y a eu des béni-oui-oui pour aider les occupants à édifier leur empire avec des routes, des dispensaires, des ouvroirs, du travail pour les hommes quand ce n'était pas l'enrôlement dans nos armées. Oui, ils ont profité, les Arabes, avec leurs cinq prières par jour, sur des terres qui ne produisaient, jusqu'à l'arrivée des colons, que des épines de jujubiers. Ils ont même failli triompher quand Napoléon III, en visite impériale en 1860, mal conseillé sans doute et mal renseigné, ému aux larmes par la misère des Arabes, songea à leur distribuer les bienfaits d'une intégration totale, jusqu'à fonder un « royaume arabe » avec droits égaux pour tous. Dans ce sens encore, les petits-fils de Meftah auraient profité, s'ils n'ont pas été tués, comme beaucoup de pieds-noirs, pour la gloire de la France. Et c'est peut-être l'un d'eux qu'en un éclair j'ai aperçu sur son char à bancs disloqué, trottinant vers l'éternité. A moins qu'il ne se soit rangé du côté des hommes qui profitent de la misère du peuple pour le convaincre que la prospérité s'établira bientôt. Débarrassée des militaires profiteurs, des anciens et nouveaux dirigeants comme des étrangers diffuseurs des idées occidentales et de la corruption, l'Algérie démocratique et populaire reconvertie à l'islam pourra, à l'exemple de l'Iran et de l'Afghanistan, célébrer les fêtes religieuses et louer Dieu jusqu'à la nuit profonde, jusqu'à l'heure où les Croyants peuvent s'endormir, l'âme en paix. Le petit-fils de Meftah chargera dans sa carriole, non plus des poules pour le marché mais des missiles. Ainsi, quand Dieu décidera, Dieu montrera qu'Il est puissant et le seul Dieu, et les machines volantes, réduites en monceaux de ferraille brûlante avec passagers et pilotes carbonisés, chanteront la gloire du Tout-Puissant.

A cette éventualité j'avais déjà pensé lorsque, le vent soufflant du nord, notre avion avait viré au-dessus des Eucalyptus, peut-être à trois ou cinq cents pieds d'altitude, pour s'aligner sur l'atterrissage. Par bonheur, il ne s'était rien passé.

XXXII

Au Saint-George, les nouvelles ne sont pas bonnes, mais personne ne semble s'alarmer. Les crimes, les meurtres, les carnages sont le pain quotidien des hommes et des femmes d'Alger ; un hôtel dans une oasis du désert vient d'être détruit en lisière du Sahara, il faut nous attendre à y passer bientôt. Depuis le début de la guerre, on ne compte plus les morts. Quarante mille ? Cinquante mille ? L'Arba, la citadelle du FIS, a été attaquée. On dit qu'une centaine d'islamistes ont été tués par ce qu'on appelle « les forces de sécurité ». Alger vit comme d'habitude. Le soleil brille dans toute sa gloire. Les morts ne se comptent pas. Le jardinier de l'hôtel m'apprend que le jacaranda est un arbre d'Amérique tropicale qui fleurit chez nous en mai et peut atteindre trente mètres de haut. Son bois est improprement appelé palissandre. Il est en Algérie depuis peu. Une tempête en a confié la graine à un ange.

Dans ma chambre, la grappe violette cueillie sur la tombe de ma mère et serrée sur mon cœur reprend vie. Peut-être les jacarandas ressemblent-ils aux flamboyants d'Indochine dont j'ai respiré le parfum de fleurs charnelles dans un monastère bouddhique. Il y a là du mystère : à la place des bonzes en robe d'or, je vois des *ninjas* noirs à mitraillette. La jolie pigiste égorgée de l'avant-veille est déjà oubliée. Une autre a été tuée à Saoula, dans une banlieue, on commet des crimes au nom de Dieu. La seule chose essentielle que nous avons laissée après nous sur cette terre, la liberté de pensée, qui s'en souvient ?

Cependant, les Algériens n'oublient pas que si la conquête d'Alger par le « fils de Saint Louis », comme l'archevêque de Paris avait appelé le général de Bourmont, s'est montrée facile, la conquête du pays a coûté beaucoup de sang et duré un demi-siècle. Il n'y a pas d'horreurs, ni de massacres de population, ni de viols, dont nous ne nous soyons rendus coupables. Il n'y a donc pas de quoi s'inquiéter. Tout cela est inscrit au compte des guerres de religion, de la folie des hommes ou de la volonté d'Allah. Après quoi, l'injustice coloniale a dépossédé les Arabes des terres, des biens, de la langue, comme des mosquées transformées en églises. Les Arabes ont toléré cela, et même beaucoup d'entre eux se sont fait tuer pour la France pendant les deux guerres mondiales. Est-ce à rappeler ? Doit-on même se souvenir qu'en plus des pieds-noirs des unités entières, des milliers de soldats algériens ont péri à Cassino puis à Diên Biên Phu avec notre armée ?

On pouvait donc trouver naturelle une révolte contre nous avec les proportions qu'elle prit de 1954 à 1962. Ce qui ne l'était pas, naturel, c'est l'amour fou pour cette terre dans le cœur des colonisateurs. Et, parfois, dans le cœur des colonisés pour certains colonisateurs qui n'avaient pas apporté que des méfaits, mais aussi l'instruction, la civilisation ou la charité. Autrement dit, j'ai oublié de dire à ma mère qu'avec le temps, et au sein même de l'injustice, quelque chose s'était passé qui devait ressembler à un certain amour réciproque et y ressemble toujours. Entre la France et l'Algérie existe un sentiment trouble et violent, comme entre des créatures qui n'ont pas été, sauf exception, jusqu'aux extrémités de leur attraction mutuelle. Comme, dans le cosmos, planètes ou satellites tournent autour de leur astre majeur, jusqu'à ce qu'ils se rejoignent dans l'apocalypse ou dans les transes d'un bonheur inexplicable et peut-être vaguement coupable. D'union légitime, encore moins d'amour vrai, entre la France et l'Algérie, je n'en connais pas. Tout est illégitime, inconvenant et fatal. Tout procède de l'impossible, et cependant rien n'est plus impressionnant que des natures si opposées, plus destinées à se heurter qu'à s'aimer, puissent jamais se pardonner les mouvements incontrôlés qui les attirent ou les repoussent, mais qu'est-ce que l'amour ? Et pourtant, c'est ainsi. Avec quelle autre nation, non seulement d'Europe mais du monde, l'Algérie aurait-elle, parfois sans le savoir, partagé un si grand besoin d'être considérée et caressée ? De quels frères humains la France pourrait-elle être plus proche que des Algériens, jusqu'à vouloir parfois les oppresser ou les dévorer ? Comme la réciproque est vraie, il y a là une obscurité que les brouilles passagères, loin de dissiper, épaississent. Il n'est pas impossible que ce soit là une définition de l'amour et de la déraison. Et, une fois les tempêtes passées, on se dit qu'il est agréable de vivre ensemble ou séparés.

Chacun rêve sans savoir qu'il rêve et, à cause des vainqueurs qui les ont aimés, les vaincus — c'est-à-dire nous — ne se souviennent plus des massacres commis ni des injures crachées, et se demandent pourquoi leurs femmes font les yeux doux à des beurs élèves de l'ENA ou majors de l'X. Parce que la France ne veut plus entendre parler de l'Algérie, ce cauchemar, cette mésaventure, cette histoire d'amour oubliée.

XXXIII

Notre-Dame-d'Afrique est le seul lieu encore vraiment chrétien d'Alger, en apparence libre, ouvert à tous, et gardé symboliquement par le dernier cardinal qui achève sa vie là, dans les brouillards du souvenir, j'allais écrire de Dieu. Sur la colline voisine, j'ai vécu chez les lazaristes huit années d'enfance et de jeunesse. Autrefois, ici même, un autre cardinal, le célèbre Lavigerie (Charles), pointait un doigt de bronze vers les hommes pour les engager à servir le ciel. Il n'y est plus. On l'a rapatrié, à Bayonne peut-être où il est né. Au bout de la terrasse comme au bord d'un abîme, on voit la mer, la baie, le cap Matifou, on devine la ville et ses fumées derrière la colline de Bab el-Oued, où les Frères du FIS essaient en vain de réduire en esclavage une population coriace. Les Algériens ne se laissent plus faire. Ils plient mais se redressent, leur humour les sauve.

Tout au bout de l'esplanade, presque à pic,

on domine l'immense cimetière que j'ai vu s'étendre dans la vastitude de la mort et se hisser vers nous. Là gît une partie des miens ; mon père l'instituteur de Rovigo, puis de Staouéli, puis d'Aïn-Taya, puis de la Casbah ; son fils Robert, mon frère consanguin, et sa femme.

C'est donc mon pèlerinage à une autre part de mon sang. Mon père, je le revois sur la photo de son école à Aïn-Taya, avec sa casquette à oreilles repliées sur le haut du crâne, sa grosse moustache, son air décidé, et moi, à sa gauche, tout près de son cœur, tête nue, fier, un brin effronté, tel que je suis encore. Qu'ai-je besoin d'aller toucher la dalle où est gravé un nom qui n'est pas le mien ? En cette nécropole, les défunts n'ont rien à craindre. Ils représentent la part honorée de l'Algérie française, le nombre, l'ordre. Il y a le carré des généraux, le carré des personnalités, le carré des soldats morts à l'hôpital militaire proche, la foule des anonymes respectables et de la bourgeoisie coloniale avec chapelles, monuments, stèles coûteuses, et aussi, avec ses brisures funéraires, le carré des Juifs qui, dès l'Occupation française, se sont réfugiés de notre côté pour se dégager des Arabes. Toutes les tombes, rangées, alignées, entretenues, sont visitées de plus en plus rarement. Il y a un gardien, des murs solides, des portails, un concierge avec des registres. Je ne sais plus très bien où sont les miens, car on se perd dans ce silence si assuré, si définitif, où rien ne frémit, quand éclate au loin, mêlée au mugissement de la mer, la voix de la cinquième prière.

Le vendredi, qui est maintenant le jour chômé de la semaine, du stade de Saint-Eugène, en bas, juste avant la mer, une clameur subite jaillit quelquefois du match de football qui se joue là, et je ne suis pas sûr que, dans quelques travées populaires, certains morts ne se retournent pas en essayant d'applaudir ou de huer. Vers les hauts, les morts sont las d'escalader la pente, les murs d'enceinte n'ont pas encore été tous édifiés, on entre un peu comme on veut, les herbes sèches servent de caches et de refuges à l'amour quand les dégourdis de Bab el-Oued y entraînent de jeunes proies longtemps convoitées. L'amour alors tempère la mort et la rend douce compagne, les voilà tous sous l'égide de Notre-Dame-d'Afrique et de quelques *ninjas* de passage. Les barbus ne s'aventurent pas à travers cet ossuaire et la funèbre solitude où gémit le vent.

De là, on peut, si l'on veut, méditer sur la fragilité des empires. Rome n'a laissé ici que des villes dans le désert, des aphrodites de marbre, des vénus, des arcs de triomphe en pierres dorées, des temples ruinés mais encore debout, dédiés à Jupiter ou à Mercure. Rien pour les vivants, et pas de tombes. Notre legs à nous, c'est une nécropole, des machines à puiser le pétrole, des barrages, et quelques idées dévastatrices dont les héritiers se rengorgent maintenant ou à propos de quoi ils s'égorgent.

Sur cette colline de terre rouge, la silhouette palpitante du dernier cardinal d'Alger se lève encore, récite des psaumes puis célèbre la messe. Nous sommes allés baiser la main de cet homme de Dieu que l'esprit piquant des pieds-noirs avait surnommé Mohamed en croyant le déshonorer parce qu'il appelait les Arabes ses frères. En 1936, les pieds-noirs avaient agi de même avec le gouverneur Maurice Viollette parce qu'il voulait accorder la citoyenneté française aux Arabes qui s'en montraient dignes. Nous avons porté au cardinal un gilet écarlate, chaud pour l'hiver.

Le collège des jésuites comme le séminaire sont devenus des lycées d'Etat, avec des milliers d'élèves. Jadis, sur cette corniche, les consuls de la Régence d'Alger avaient leurs villas, puis il y eut un carmel au milieu des résidences princières de ministres et de rois de ce monde. De Gaulle ne daigna jamais s'y installer. La côte ardue qui mène ici, toi, mère chérie, tu l'as gravie presque tous les dimanches avec un couffin bourré de gâteaux à la patate douce, de galette arabe et d'un pot de confiture d'oranges. J'étais parfois en train de jouer au football sur l'esplanade quand on me demandait au parloir, je n'étais pas si content que ça, nous n'avions pas grand-chose à nous dire, tu ne restais pas longtemps, je reprenais ma place dans le match comme arrière-gauche. J'étais à l'âge ingrat. Tu devais souffrir de mon égoïsme. Pardonne-moi, mère chérie.

Dans la nef déserte et sombre de la basilique tellement silencieuse, il ne nous reste plus, au pied de l'autel monumental, qu'à allumer un cierge à la Vierge noire toute de soie endiamantée, sous le dôme faussement byzantin où tant de voix ont chanté l'Etoile du matin, l'Arche d'alliance, la Rose mystique ou la Consolatrice des affligés. Imbibé comme je le suis de foi chrétienne, si je m'attardais, je m'agenouillerais entre ces bancs lustrés d'usure. Une émotion m'atteindrait, pareille à celle qui m'a labouré à la chapelle de Santa Cruz, au-dessus d'Oran, il y a quelques années. Là aussi, on se laissait, non sans volupté, couler dans un gouffre de nostalgie. Les lieux saints baignent souvent dans les larmes et le sang. A Santa Cruz où les mouettes viennent se réfugier, tout est blanc de leurs déjections, et on entend la mer par gros temps.

J'ai hâte de retrouver la lumière, le vieux mendiant qui est un des derniers témoins de l'Algérie française et la gifle du vent.

XXXIV

Au fond, je n'ai rien vu ou presque. Tout est déconseillé à l'étranger ou à l'ami qu'on protège. J'aurais tant aimé parler à quelqu'un du peuple, et, de sa bouche, entendre qu'il en a assez, qu'on a tué ses meilleurs amis, que le président est désormais élu au suffrage universel — mais les chiffres ? — , que tout va bientôt finir sur un désastre général, que la monnaie vaut des fèves, que le prix des pois chiches augmente vertigineusement ; que, dit-on, les ascenseurs ne marchent plus depuis longtemps où il y en a, dans les anciens beaux quartiers, que même l'eau manque souvent, mais le FLN profite de tout. Le bruit court qu'il y a, en dinars, mille milliardaires qui ont remplacé les gros colons. Des milliardaires ? Par exemple les anciens ministres qui ont géré les aides financières de la France, ancienne protectrice devenue vache à lait. Par exemple les hauts fonctionnaires qui s'attribuent des pourcentages. Par exemple ceux qui rongent les bakchichs comme des os d'or. De ce qui se passe dans le pays, on ne sait pas grand-chose par les journaux jugulés, mais on apprend tout grâce aux paraboles des terrasses qui captent les télévisions étrangères. Oui, on sait tout, on voit tout, hélas, tout ce qui ailleurs se gaspille, des femmes nues pour vendre des collants, beaucoup de films honteux, le soir, quand les enfants ne dorment pas encore, et il arrive qu'on s'entasse à huit dans une seule pièce. Les Frères exploitent cette dégradation de la morale et la misère pour faire assassiner qui leur déplaît par des jeunes gens désœuvrés, pour trois ou quatre cents dinars. Pour rien. Presque comme un salaire de honte. L'Occident est pourri, et on ne pense soi-même qu'à gagner la France, l'Allemagne, le Canada où se forment des colonies d'Algériens besogneux. Le terrorisme gagne le monde entier comme un fléau, les écrivains ou les journalistes qui réussissent à vivoter en exil sont tués l'un après l'autre, on l'a vu pour Rachid Mimouni, mort de désespoir et de maladie. Les femmes ont leurs nuits hantées de cauchemars jusqu'à la *sobd*, la prière du matin, les tueurs sont partout, aucun espoir ne se lève, que l'aube. Comme les Frères se cachent souvent dans la montagne où ils manquent de femmes, ils montent des razzias, enlèvent des filles dans les villages, les violent sous des simulacres de mariages, et, lassés d'elles, les égorgent ou les relâchent. De ces malheureuses créatures pareilles à des chiens errants, personne ne veut plus. Elles errent dans les villes, dorment sous les arcades jusqu'à ce qu'on les envoie dans des camps où, peu à peu, les *ninjas* les exterminent. Plus personne n'ose parler à un proche, il n'y a plus de lieux protégés. Le seul homme intègre qui a été au pouvoir a été mitraillé par un soldat de sa garde sans qu'on soit sûr d'avoir jamais retrouvé le meurtrier. Dans les prisons, on liquide les gêneurs. Voilà ce que j'entends quand je dresse l'oreille. Massacre à la demande.

Pourtant, le jour, les rues d'Alger ressemblent à ce qu'elles étaient autrefois. On aperçoit des jeunes filles en robe légère dans les cafés, d'autres passent en *hidjab*, cette longue robe pudique à capuche qui protège des regards brillants de lubricité des hommes. Alger resplendit. La terreur recommencera au couvre-feu, sous la voix de Dieu le miséricordieux.

Dans les palais nationaux, les ministres incorruptibles, il y en a, conduisent leurs invités sur une terrasse et leur montrent la ville, cette putain. Irrésistible, capiteuse, sensuelle, telle que je l'ai respirée dans mon enfance, avec ma mère dans l'autobus Monico qui passait par Kouba, où maintenant les Frères tuent des Pères blancs et d'humbles religieuses, en croyant détruire tout ce qui est français. Quand on descendait de l'autre côté du Sahel, commençait la splendeur de la plaine après la splendeur de la ville. Où maintenant s'ouvre la porte ténébreuse de la misère, de la drogue, du vice.

On avait cru établir là l'immense machinerie qui m'avait choqué, pour fabriquer du matériau de construction. Les erreurs se sont écroulées d'elles-mêmes. Je ne sais si c'est le petit-fils de Meftah qui s'en revient, par la route des Eucalyptus, du marché de Maison-Carrée où il a vendu des poules. Son cheval est fourbu parce qu'il ne lui donne plus de picotin d'avoine.

Le mal de l'âge m'empêche de déambuler sur les trottoirs, et puis, avec ma dégaine, comment ferais-je ? Mon compagnon a descendu à pied de l'ancien parc de Galland jusqu'aux facultés par la rue Didouche-Mourad, ancienne rue Michelet, là où autrefois il a connu les barricades. « Il y avait peu de différence, me dit-il. Les filles sont belles. Quels yeux elles ont... » répète-t-il. Je le sens tout retourné par un pays où, comme moi, il est né. Je comprends pourquoi, lorsque nous habitions Alger, ma mère n'engageait comme fatmas pour les ménages que des vieilles qui descendaient de la Casbah. Chez des voisins frais débarqués, la mère, professeur, allait à ses cours ; le père travaillait aux services du port et n'était jamais là. Le fils, qui avait quinze ans, suivait les leçons particulières d'une jolie Mauresque, accorte et délurée. Quand on s'en aperçut, l'éducation sentimentale du jeune homme était bien avancée. Il ne s'en plaignit pas. Il s'appelait Max-Pol Fouchet.

Autrefois, pas de couvre-feu, mais les brasseries fermaient tôt et le temps de l'ennui commençait. Les cinémas et l'Opéra se vidaient.

Au-delà du square Bresson, quelques lumières scintillaient sur le port et, au loin, dans la baie. Aujourd'hui, avec ses chats abandonnés et ses poubelles débordantes, Alger est une ville en putréfaction où l'on aurait oublié, en la quittant, d'éteindre l'électricité. Les commandos du FIS se glissent dans les banlieues, et, d'un coup de pied, comme nos parachutistes autrefois, défoncent une porte, tuent à l'arme blanche ou au 7.65 et s'enfuient en menaçant. Des Malika Sabour, il y en a chaque jour après la dernière prière. Et maintenant il y a même des généraux assassinés, mais on ne le dit pas.

A peine ai-je entrepris le cours de ces réflexions que nous apprenons par les journaux, la télévision et des conversations inquiètes et feutrées, que des attentats ont eu lieu en plein cœur de Paris, dans le métro et, même, qu'un TGV a échappé à la catastrophe parce que le système de mise à feu de l'explosif n'a pas fonctionné. Les empreintes digitales révèlent le nom d'un jeune délinquant des banlieues lyonnaises, un émigré algérien : Khaled Kelkal, d'une famille de Mostaganem ramenée en France par le père.

Nous en parlons peu entre nous, mon compagnon et moi. Je me crois revenu à la guerre d'Algérie, quand nous redoutions le pire et que la Seine charriait des cadavres d'Algériens. Le jeune terroriste traqué a été abattu comme un chien enragé. Ces banlieues fatales des grandes villes où règnent la misère et l'esprit de révolte, je les connais par les récits de Medhi Charef et d'Azouz Begag, comme par les sketches de Smaïn, ces artistes de « bidons d'huile », ces fils d'ouvriers émigrés, qui ont mêlé à la tragédie de leur naissance la tendresse et l'humour, comme la nouveauté d'une langue où le français fond dans l'arabe, où l'arabe viole le français avec des expressions ordurières. On peut dire qu'ils ont les dents agacées parce que leurs pères ont mangé des raisins verts. Mon dialogue avec ma mère, sous mes bouquets de roses flétries et le parasol du jacaranda, ne tourne pas à notre avantage quand nous apprenons qu'un prêtre de cette banlieue lyonnaise, seul Occidental autorisé à participer aux obsèques du terroriste Khaled Kelkal, a dit à la foule des assistants et, par-delà, à la société française : « Battons notre coulpe, mes frères, à propos de Khaled qui a mal tourné. C'est notre fils, prions pour lui. »

Notre fils ! Ma mère a dû se retourner dans sa tombe. Ce prêtre-là, Christian Delorme, vrai disciple du Christ, annonce l'Evangile aux pauvres et aux humiliés. J'en ai rencontré un autre, dans la banlieue de Kouba où le GIA assassine des religieuses chrétiennes, comme autrefois j'avais rencontré l'abbé Scotto à Bab el-Oued, comme je venais d'embrasser le cardinal Duval. Oui, Khaled Kelkal est le fils de notre colonisation et de notre mentalité. Pour un descendant de colonisé, il suffit d'un rien pour verser dans le terrorisme. Personne chez nous ne se souvient que nous avons été jadis une nation de proie. Moi-même, sans Camus, je ne l'aurais pas découvert, et, sans Amrouche, je n'aurais pas mesuré ce que nous imposions au peuple algérien.

Dans ma chambre où fleurissent d'autres roses et mon brin de jacaranda, m'arrachant à la contemplation de la Babylonc palpitante dans ses joyaux, bercé par le silence d'une grande ville menacée et le claquement du vent, ce sont les lamentations de Jérémie qui me viennent à l'esprit comme on les chantait à la cathédrale le soir du jeudi saint, aux ténèbres : *Sion deserta facta est, Jerusalem desolata est*. Parfois, on ne sait plus pourquoi le fils tue son père, et l'élève son maître. Le rugissement de la voix divine éclate jusqu'à l'Amirauté, jusqu'au rivage battu par la mer, jusqu'aux extrémités de la plaine d'où je viens, au pied des montagnes où errent les derniers chacals. Cette voix annonce aux fidèles comme aux infidèles, aux croyants comme aux incroyants, que Dieu est grand. Beaucoup n'entendent même plus. Quelque chose me glace le sang et je pense à ma mère, enfin à l'abri des hommes et de ce Dieu. Je tire le rideau sur l'or de l'autoroute qui semble coagulé, et sur la lune qui va se lever.

XXXV

Passe pour Rovigo où je suis né, passe pour L'Arba, où ma mère a vécu à la gendarmerie, mais Blida ! Non, je ne peux m'en aller sans revoir Blida, l'Andalouse, la reine de la Mitidja.

De son kiosque à musique, sur la place d'armes, fuse toujours le plumet d'un palmier. Les hauts lampadaires de bronze datent de Napoléon III. A la fête de Blida, c'est là que nous nous donnions toujours rendez-vous, Paula et moi, au bout du boulevard planté d'orangers. Les filles de Blida avaient leur renommée : elles étaient irrésistibles. C'est de l'une d'elles que, sous-lieutenant, j'étais amoureux. Ce sera avec une autre que je me marierai, à vingt et un ans. Ainsi, par Blida, pus-je échapper aux lazaristes. Le quartier du 1er tirailleurs s'ouvrait à deux pas du fameux palmier, entouré, comme d'une cour, de maisons avec balcons et arcades. Les cafés avançaient leurs tables sous les lampions. On disait que Gide avait écrit là *Les Nourritures ter-*

restres. Ses amours à lui, il les trouvait au bois Sacré. Oscar Wilde aussi. Les nôtres flambaient ici dans les effluves du basilic, des poivriers et des cigarettes Bastos. Moi, je fumais des Abdullah.

Le jour de la fête de Blida, la fanfare des spahis sonnait dès le matin, les rues claquaient sous le sabot des chevaux, l'éclat des trompettes vrillait le ciel. A midi, débouchait la nouba des tirailleurs avec, en tête, son bélier à cornes enroulées et, derrière, son chapeau chinois. Après quoi, les orchestres s'installaient dans le kiosque avec un paso doble, puis c'étaient les valses, les romances à la mode et jusqu'aux tangos, ah ! les tangos. Toute la plaine était là. Les têtes tournaient. L'arôme d'absinthe et les colliers de jasmin grisaient. Paula que j'attendais était toujours en retard. Je m'inquiétais. Quand elle apparaissait enfin, le bonheur m'envahissait, et je courais à sa rencontre, j'étais au paradis. Je ne savais pas danser, quelle importance ! Je l'entraînais quand même. Ses seins étaient contre moi. Je devenais fou. C'était la plus belle rose de Blida.

Le soir, de tradition, un orage éclatait. Nous profitions de la cohue, on s'embrassait sous les arcades, on écoutait battre nos cœurs. L'orage roulait sur les pentes, puis s'éloignait. Quand la pluie s'arrêtait, on entendait le tambour nègre du quartier des prostituées, le quartier réservé, un peu plus haut, entre la ville et la montagne, avec, sur le pas des portes, des créatures pareilles à des houris, aux yeux élargis par le khôl. C'était l'amour comme en Andalousie, comme à Capoue peut-être, avec des grelots et l'aigre chant des raïtas, sous la violente lumière blanche des lampes à acétylène qui sentaient fort. Sur la place, l'orchestre reprenait ses flonflons, les garçons de café essuyaient les tables, mais, je ne sais pourquoi, le meilleur semblait passé.

Cet après-midi-là, nous nous cherchons des yeux, mon compagnon et moi, pour ne pas dire tout haut ce que nous pensons devant Mustapha. Lui, il a à travailler avec les *ninjas* contre les Frères du FIS qui veulent faire de l'Algérie une nation en prière, avec des femmes uniquement destinées au désir des hommes et à la conception des enfants. Il nous envie, nous les anciens colonisateurs colonisés par l'argent, le sexe et par les Algériens qui réussissent à échapper aux Frères et à nous rejoindre en France. Je me demande aussi où plongent les racines de Blida, dans les neiges de la montagne, dans le sacré ou dans l'éros. J'ai une pensée attendrie, compliquée de remords, non seulement pour Paula, mais aussi pour un des hommes qui ont le plus compté pour moi, le citoyen Doyon, né à Blida un jour des Morts. Il avait fui ce « ramassis de ratés et de racistes » comme il appelait Blida, et aussi la peur qu'il avait du couteau de son père, boucher qui vendait de la viande casher. D'abord élève jésuite en Italie, il était devenu à Paris éditeur d'encyclopédie du XVIIIe siècle, comme l'appela un jour Malraux. C'était un homme infernal et pitoyable que j'avais rencontré à Paris sur la recommandation de l'Eglise. Je lui ai consacré mon roman le plus vif peut-être, *La Saison des Za.*

Nous nous asseyons avec Mustapha sous les arcades à une table de café où l'on ne peut boire que de l'Orangina, et j'ai envie, par amitié, de lui caresser la main un instant, mais je n'en fais rien car ce genre de geste peut être mal interprété dans ce pays. A présent, Mustapha est un ami, presque un proche. La guerre d'Algérie est loin, il comprend tout, devine tout, veille sur nous comme sur des frères qui n'ont pas toujours été conscients d'apporter à l'Algérie ce qui lui manquait alors, et qu'elle a reçu en legs. On nous regarde mais personne ne semble nous voir, que des enfants à qui nous offrons des friandises. A une table voisine, deux vieux Arabes jouent aux dames. Mon compagnon dit qu'il va acheter des cartes postales et nous quitte.

La Blida qui me poignarde sent le cuir travaillé d'or et d'argent, la farine d'un de nos amis les plus chers, fils de minotiers, et, au printemps, la fleur d'oranger. Comme nous manquent ces fragrances d'encens, et surtout de péché, qui nous étourdissaient jadis ! Mon compagnon brûlait alors pour une belle juive qui habitait rue des Coulouglis, moi pour ma cousine Paula. A présent, une odeur de poussière mouillée monte de la chaussée qu'on vient d'arroser. Ça ne sent même plus le basilic. L'Andalouse est devenue vide et triste, pieuse peut-être. La voix du muezzin psalmodie la prière de l'après-midi.

Sur la place encombrée de baraques et de guitounes d'ouvriers, des femmes passent, presque toutes en *hidjab* bleu ou vert pâle, d'autres en *haïk* où même les yeux se cachent, des « cagoulardes » comme les appelait Kateb Yacine ; d'autres plus jeunes, filles de celles qui ont combattu pendant la guerre et que les pontes du FLN ont renvoyées à leurs fourneaux, une fois l'indépendance conquise. En jupe et en cheveux, elles semblent des Pasionarias, des championnes de la liberté d'esprit, comme si elles voulaient provoquer les Frères et se montrer les égales des hommes.

Mon compagnon revient de la rue des Couloughlis, le visage resplendissant comme s'il avait vu Dieu derrière des persiennes, et pourtant il ne rapporte que des cartes postales d'autrefois qu'on ne vend plus, parce qu'il n'y a plus de touristes. Jadis bleue comme le ciel, toute tremblante des amours de fortune et des rayons d'or du soleil, Blida est la Belle au bois dormant.

Le bruit court que le FIS a répandu la terreur jusque sur les marches du palais de justice et je me remets à penser à ma mère, qui ne connaissait pas Blida. « Hein, ma petite mère chérie, lui dis-je en moi-même. Ce n'est pas ton gendarme qui t'aurait emmenée ici, et, avec l'instituteur, vous cachiez vos frasques amoureuses à Alger, à l'hôtel du Chien qui fume... » C'était pour eux le temps des cerises, et il n'a pas duré. Pour ma cousine Paula non plus. Quant à Doyon, il a fini dans la misère. « Oui, ma chère adorée, dis-je à ma mère qui n'aimait pas plus Doyon que Doyon n'aimait Amrouche et les Arabes, Blida n'est plus la même. Tu n'as rien perdu. »

Il me semble entendre des gouttes de bonheur tomber d'une guitare accompagnée d'une flûte de roseau. Des colombes roucoulent, on dirait que nous sommes en été, à l'heure de la sieste, la ville est plongée dans un silence épais.

Lentement, nous nous en allons.

Du même auteur :

Romans

LES CHEVAUX DU SOLEIL, Grasset, 1980, édition en un volume, Omnibus, 1995.
LE DÉSERT DE RETZ, Grasset, 1978.
LA SAISON DES ZA, Grasset, 1982.

Récits

CIEL ET TERRE, Alger, Charlot, 1943 (épuisé).
LA VALLÉE HEUREUSE, Charlot, 1946 ; Gallimard, 1948 ; Julliard, 1960 ; Albin Michel, 1989.
LE MÉTIER DES ARMES, Gallimard, 1948 ; Julliard, 1960.
RETOUR DE L'ENFER, Gallimard, 1953 ; Julliard, 1960.
LE NAVIGATEUR, Gallimard, 1954 ; Julliard, 1960.
LA FEMME INFIDÈLE, Gallimard, 1955 ; Julliard, 1960.
LES FLAMMES DE L'ÉTÉ, Gallimard, 1956 ; Julliard, 1960 ; Albin Michel, 1993.
LES BELLES CROISADES, Gallimard, 1959 ; Julliard, 1960.
LA GUERRE D'ALGÉRIE, Julliard, 1963 ; Christian Bourgois, 1994.
LA BATAILLE DE DIÊN BIÊN PHU, Julliard, 1963 ; Albin Michel, 1989.
LE VOYAGE EN CHINE, Julliard, 1965.
LA MORT DE MAO, Christian Bourgois, 1969 ; Albin Michel, 1991.
L'AMOUR FAUVE, Grasset, 1971.
DANSE DU VENTRE AU-DESSUS DES CANONS, Flammarion, 1976.
POUR LE LIEUTENANT KARL, Christian Bourgois, 1977.
POUR UN CHIEN, Grasset, 1979.

UNE AFFAIRE D'HONNEUR, Plon, 1984.
BEYROUTH VIVA LA MUERTE, Grasset, 1984.
GUYNEMER, L'ANGE DE LA MORT, Albin Michel, 1986.
MÉMOIRES BARBARES, Albin Michel, 1986.
AMOURS BARBARES, Albin Michel, 1993.
UN APRÈS-GUERRE AMOUREUX, Albin Michel, 1995.

Essais

COMME UN MAUVAIS ANGE, Charlot, 1946 ; Gallimard, 1960.
L'HOMME À L'ÉPÉE, Gallimard, 1957 ; Julliard, 1960.
AUTOUR DU DRAME, Julliard, 1961.
PASSION ET MORT DE SAINT-EXUPÉRY, Gallimard, 1964 ; Julliard, 1960, La Manufacture, 1987.
LE GRAND NAUFRAGE, Julliard, 1966 ; Albin Michel, 1995.
TURNAU, Sienne, 1976 (hors commerce).
ÉLOGE DE MAX-POL FOUCHET, Actes Sud, 1980.
ÉTRANGER POUR MES FRÈRES, Stock, 1982.
CITOYEN BOLIS, TAMBOUR DE VILLAGE, Voillot, Avallon, 1989.
VÉZELAY OU L'AMOUR FOU, Albin Michel, 1990.
ROSTROPOVITCH, GAINSBOURG ET DIEU, Albin Michel, 1991.

Poèmes

TROIS PRIÈRES POUR DES PILOTES, Alger, Charlot, 1942.
CHANTS ET PRIÈRES POUR DES PILOTES, Charlot, 1943 ; Gallimard, 1948 ; Julliard, 1960.
SEPT POÈMES DE TÉNÈBRES, Paris, 1957 (hors commerce).
PRIÈRE À MADEMOISELLE SAINTE-MADELEINE, Charlot, 1984 ; Bleu du Ciel, Vézelay.
CHANT D'AMOUR POUR MARSEILLE, Jeanne Laffitte, 1988.
CINQ POÈMES, Voillot, Avallon, 1991.

Théâtre

BEAU SANG, Gallimard, 1952 ; Julliard, 1960.
LES CYCLONES, Gallimard, 1953 ; Julliard, 1960.
LE FLEUVE ROUGE, Gallimard, 1957 ; Julliard, 1960.
LA RUE DES ZOUAVES *suivi de* SA MAJESTÉ MONSIEUR CONSTANTIN, Julliard, 1970.
MORT AU CHAMP D'HONNEUR, Albin Michel, 1995.

Pamphlet

J'ACCUSE LE GÉNÉRAL MASSU, Le Seuil, 1972.

Conte

L'ŒIL DE LOUP DU ROI DE PHARAN, Sétif, 1945 (hors commerce).

Avec Jean Amrouche

D'UNE AMITIÉ, CORRESPONDANCE (1937-1962), Édisud, 1985.

Composition réalisée par JOUVE

IMPRIMÉ EN FRANCE PAR BRODARD ET TAUPIN
Usine de La Flèche (Sarthe)
LIBRAIRIE GÉNÉRALE FRANÇAISE - 43, quai de Grenelle - 75015 Paris.
ISBN : 2 - 253 - 14471 - 1

⊕ 31/4471/4